# GAELTACHT RÁTH CAIRN

## Léachtaí Comórtha

MICHEÁL Ó CONGHAILE
a chuir in eagar

Arna fhoilsiú i gcomhar le
RAIDIÓ NA GAELTACHTA
ag
CLÓ IAR-CHONNACHTA
Béal an Daingin, Conamara.

An Chéad Chló 1986

© Na Scríbhneoirí

Micheál Ó Conghaile a dhear an clúdach.

Arna phriontáil ag Clódóirí Lurgan Tta., Indreabhán, Co. na Gaillimhe.

# GAELTACHT RÁTH CAIRN

A Dhia atá fial, a thriath na mbeannachta,
Féach na Gaeil go léir gan bharanta;
Má táimid ag triall siar go Connachta,
Fágmaid 'nár ndiaidh fó chian ár seanchairde.

*do*
*Mhuintir Ráth Cairn*
*agus freisin*
*i gcuimhne ar na seanfhondúirí*
*a bhunaigh Gaeltacht Ráth Cairn*
*nuair a thournáil aniar*
*ar an*
*12 Aibreán 1935*

Ionann Dia dhúinn agus dhóibh,
Aon Dia fós do bhí 'gus tá;
Ionann Dia abhus agus thiar,
Aon Dia riamh is bheas go bráth.

(Véarsaí as **An Díbirt go Connachta** le *Fear Dorcha Ó Mealláin,* c 1650)

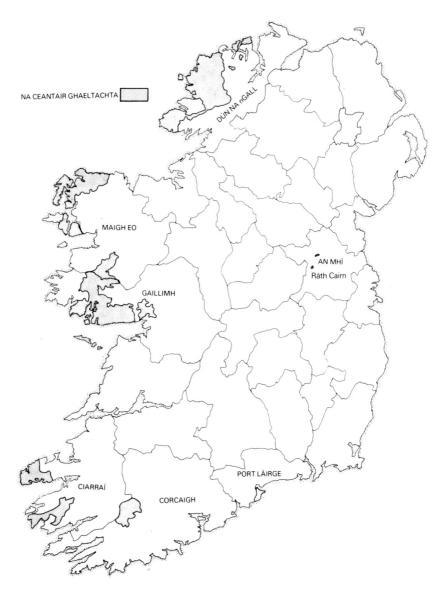

NA CEANTAIR GHAELTACHTA

DÚN NA nGALL

MAIGH EO

AN MHÍ
Ráth Cairn

GAILLIMH

PORT LÁIRGE

CIARRAÍ

CORCAIGH

*Ráth Cairn agus na ceantair Ghaeltachta eile.*

# Clár an Ábhair

# Réamhfhocal

*Ba é Micheál S. Ó Conghaile, as Inis Treabhair, a mhol go gcraolfaimis sraith léachtaí do chomóradh leathchéad bliain Ghaeltacht Ráth Cairn.*

*Bhí sraitheanna againn cheana do chomóradh céad bliain an Phiarsaigh, Phádraic Uí Chonaire, de Valera agus Chumann Lúthchleas Gael. Ach, bhí fáil go fairsing ar ábhar agus ar scoláireacht sna cásanna san. An mbeadh dóthain scóip i scéal Ráth Cairn chun léachtaí a bhunú air? Chuir Micheál Ó Conghaile ina luí orm go mbeadh; liostaigh sé na réimsí a phléifí agus na húdair a phléifeadh iad. As san a tháinig an sraith léachtaí a craoladh ar Raidió na Gaeltachta i 1985 agus atá anois i gcló sa leabhar seo.*

*Tá Raidió na Gaeltachta faoi chomaoin ag Micheál Ó Conghaile agus ag na léachtóirí eile a bhí páirteach sa tsraith. Gura fada buan iad agus go maire Gaeltacht Ráth Cairn slán.*

*Tomás Ó Ceallaigh,*
*Leas-Cheannaire,*
*RAIDIÓ NA GAELTACHTA.*

# Réamhrá

Tá gearrscéal ag Criostóir Mac Aonghusa, ina leabhar *Cladóir*, atá faoi athchló anseo, a chuireann síos ar theaghlach as Conamara atá ar tí aistriú go Contae na Mí. B'é léamh an ghearrscéil úd a spreag mo spéis féin i nGaeltacht Ráth Cairn ar dtús. Chomh maith leis sin os rud é gur imigh clann amháin as mo bhaile féin soir go Contae na Mí i 1935 chloisfinn caint á dhéanamh faoi mhuintir *Mheath,* mar a deirtí, ó am go chéile.

Ach taobh amuigh dhó sin áfach os rud é go bhfuilim ag féachaint siar ar ghnéithe de stair Chonamara — stair gur dlúthchuid di an imirce — thugas faoi deara nach raibh teacht ar alt ceart faoi scéal Ráth Cairn in aon leabhar, ní áirím leabhar iomlán bheith ar fáil faoin nGaeltacht óg spéisiúil lámhdhéanta seo. Cinnte, ach tóraíocht a dhéanamh, bhí altanna le fáil go fánach anseo is ansiúd, i sean nuachtáin, irisí agus tuarascáileanna mar shampla, ach níl an t-am ná an deis ag furmhór mór an phobail dul ar a dtóir siúd. Tá an-ríméad orm mar sin go bhfuil an leabhar seo ar fáil chun iarracht a dhéanamh an bhearna a líonadh — bearna a fágadh i bhfad ró-fhada gan tógáil.

Is mar chuid de chomóradh bhunú Ghaeltacht Ráth Cairn, agus le léargas domhain a thabhairt don phobal ar stair na Gaeltachta úd a chraol Raidió na Gaeltachta na léachtaí seo i 1985. Léiríodh an-suim sna léachtaí ó thús agus dá thoradh sin tá siad curtha i gcló anois. Tugadh deis do na scríbhneoirí forbairt a dhéanamh ar ábhar na léachtaí craolta san áit ar mhian leo sin a dhéanamh.

Tá cuid de na himeachtaí a bhain le scéal Ráth Cairn luaite níos mó ná uair amháin sa leabhar ach tuigfidh an léitheoir gur deacair athrá a sheachaint i sraith den chineál seo. Mheas mé áfach in áit dul ag dochtúireacht orthu anseo is ansiúd chun athrá a chealú gurbh fhearr iad a fhágáil mar a tháinig ó láimh na léachtóirí ionas go bhféadfaí gach ceann acu a léamh mar aonad ann féin. Chomh maith leis sin cibé pointe atá athráite, baineann le cnáimh droma an scéil de ghnáth agus ar an gcúis sin amháin ní miste iad a athmheabhrú.

Cé go bhfuil stair Ghaeltacht Ráth Cairn clúdaithe go cuimsitheach sa leabhar seo mar sin féin níor mhaith liom go gceapfaí go bhfuil deireadh ráite. Tá eachtraí eile mar aon le go leor scéalta agus seanchas ann faoi Ráth Cairn agus tá súil agam gur spreagadh a bheas sa leabhar seo le daoine eile a ghríosadh le dul i mbun pinn. Chuige sin tá liosta d'fhoinsí ag deireadh an leabhair seo mar eochair chun tosú ag cuartú. Nílim ag maíomh go bhfuil an liosta iomlán ná tada mar sin ach san am céanna beidh sé úsáideach mar threoir. Ach ar ndóigh níor chóir a dhearmad gur i Ráth Cairn féin atá an eochair is luachmhaire le teacht ar eolas.

Ar ndóigh ní gan cur le chéile a cuireadh an saothar seo ar fáil. Táim an-bhuíoch de Raidió na Gaeltachta agus go háirithe de Thomás Ó Ceallaigh a léirigh an-spéis sa tsraith ó thús agus a thug gach cabhair agus treoir. B'é freisin a d'fhéach chuige go gcuirfí an tsraith i gcrích. Táim go mór faoi chomaoin freisin ag na léachtóirí eile ar fad, go háirithe Gearóid Ó Tuathaigh a thug treoir agus moltaí, Liam Ó Nualláin a sholáthar mapaí agus a mhúscail go leor pointí spéisiúla, agus seachas éinne eile Pádraig Mac Donncha atá céasta ag cur chuile chineál eolais ar fáil ó thosaigh muid ar an sraith seo. Táim buíoch chomh maith de Cholm Ó Torna agus Carol Lee as cead a thabhairt úsáid a bhaint as pictiúir leo. Bheadh an leabhar seo easpach freisin murach na daoine seo a leanas: Niall Murphy ó Choimisiún na Talún, Ian Lee ó Chartlann Fuaime RTÉ, Máirín Mhic Lochlainn ó Chartlann Fuaime RnG, Liam Mac Con Iomaire agus Anna Bale ó Choláiste na hOllscoile, Baile Átha Cliath, Séamus Mac Donncha agus Gerry Darcy ón Leabharlann, Coláiste na hOllscoile, Gaillimh. Táim an-bhuíoch freisin de na daoine seo a leanas a thug lámh chúnta: Bernie Ní Fhlatharta, Nollaig Ó Gadhra, Micheál Seoighe, Proinsias Mac Aonghusa, Criostóir Mac Aonghusa, Ciarán Ó Fátharta, Peadar Mac an Iomaire agus Filí Bhaile na mBroghach, Mairéad Nic Dhonncha, Séamus Ó Cualáin, Máirín Ní Iarnáin, Peigín Ní Thuathail, Pádraig Ó Conghaile, Peadar Ó Gríofa agus Clódóirí Lurgan. Táim go mór faoi chomaoin chomh maith ag Seán Ó Curraoin as a threoir agus a thacaíocht.

*Micheál Ó Conghaile*
9 Eanáir 1986

## Seosamh Ó Donnchadha
*Filí Bhaile na mBroghach*

## Contae na Mí

Ar maidin Dé hAoine, sea chuala mé an caoineadh
  Is an gháir chrua ag daoine ag teacht chugam sa tslí.
Ag seanfhir is ag seanmhná a bhí ag fágáil na Gaeltacht'
  Le deireadh a gcuid laethanta a chaitheamh i gContae na Mí.

Chuaigh na gluaisteáin tharam, ocht gcinn i ndiaidh a chéile,
  Ar a dturas trí Éirinn, an lá earraigh ciúin;
Bhí gach comhluadar suite iontu i bhfochair a chéile,
  Mar bheidís ag léamh an bhealaigh a bhí romhab.

Bhí fir iont' as Garmna na bhfarraigí gáifeach,
  Is as an Trá Bháin in aice na gcuan,
Nach bhfaca riamh séarsach[1] ag gearradh na mbánta,
  Is nár chleacht ach an láí, ná a seansinsear romhab.

Nach orthu bheas an t-ionadh nuair a shroisfeas siad ceann cúrsa,
  Gan leachta in aon chúinne le feiceáil san áit,
Gan cloch ar an talamh, gan sceacha ach ar mhóta,
  Agus na páirceanna buana ann chomh lom leis an trá.

[1] seisreach

11

Feicfidh siad machairí sínte as a chéile ann,
  Agus acraí 'na gcéadta ag tabhairt féir agus barr;
Taltaí a sinsir a ruaigeadh iad fré chéile as,
  Mar b'éigin doibh éalú ón léirscrios is ón ár.

Tá a gcuid tithe breá is iad déanta ann,
  Is an fheilm ina dtimpeall, san áit a bheas dídean is siamsa acu
  ann,
Thairis ag bordáil ar fharraigí lá stoirm' is gaoithe,
  Is ag treabhadh leis an saol is gan mórán dhá bharr.

Beidh fáilte ag na Laighnigh roimh mhuintir na Gaeilge,
  Mar tuigeann gach éinne acu a mbealach is a gcás;
Gurb iad a ruaigeadh thar Sionainn a dearnadh an chéad lá,
  Nuair a plandáileadh Saxons ón mBreatain anall.

Is molfaidh muid Éamon, fear seasta na tíre,
  Is an dea-Ghael is iontaí dá bhfaca muid fós;
Shaorfadh sé Éire ó shlabhraí na daoirse
  Ach lántoil na ndaoine a bheith leis ins gach gó.

Molfaidh muid suas é, ár dtaoiseach is ár gcaraid,
  A throid is a sheas dúinn in aghaidh clampair is drochdhlí,
Is atá ag déanamh a dhíchill leis na dualanna a ghearradh
  Agus muide a fhágáil dealaithe as eangach Sheáin Bhuí.

Is mithid dhúinn múscailt, tá an fheadóig dhá séideadh,
  Is tá an cosán glan réitithe romhainn soir thríd an tír,
Nó go bhfágfaidh muid bantracha crua Chonamara,
  Ag tabhairt driseacha is aitinn is crannaibh aríst.

**1** *Gearóid Ó Tuathaigh*
*Stairí agus léachtóir i gColáiste na hOllscoile Gaillimh.*

# Aistriú pobail Ghaeltachta go háiteanna eile in Éirinn: Cúlra an pholasaí*

Cuspóir teoranta atá agam san aiste seo. Séard atá curtha romham agam ná cúlra a thabhairt don bpolasaí faoinar aistríodh teaghlaigh áirithe ó Ghaeltachtaí iarthar na hÉireann isteach faoin tír, go Contae na Mí, leathchéad bliain ó shoin. Bhí dhá phríomh-eilimint i gceist sa pholasaí seo: an ghné eacnamúil agus shóisialta ar láimh amháin, agus ar an láimh eile gné na teanga den scéal. Mar sin, siad na ceisteanna a dtabharfar faoin a bhfreagairt sa léacht seo ná: (i) cén cineál fadhbanna eacnamaíochta agus sóisialta sna ceantair Ghaeltachta ar lena bhfuascailt a cinneadh ar phobail Ghaeltachta d'aistriú ó chósta an iarthair isteach go tailte i lár na tíre i gCcntae na Mí, agus (ii) ó thaobh teanga de, cén cuspóir a bhí leis an

---

\* Is í *Tuarascáil Choimisiún na Gaeltachta* (agus an *tImleabhar Fianaise* a bhain leis an dTuarascáil) an fhoinse is tábhachtaí do chúlra an scéil seo. Foilsíodh an Tuarascáil sa bhliain 1926. Tá eolas a bhaineann le hábhar le fáil sna leabhair seo chomh maith:
Cormac Ó Gráda: *Éire roimh an nGorta* (an Gúm 1985).
R.D. Collison Black: *Economic Thought and the Irish Question 1817-1870* (Cambridge 1960).
Robert E. Kennedy, Jr: *The Irish: Emigration, Marriage and Fertility* (California 1973).
W.L. Micks: *History of the Congested Districts Board* (Baile Átha Cliath 1925).
James H. Tuke: *Irish Distress and its Remedies: A Visit to Donegal and Connaught* (1880).

bpolasaí seo, nó, cad leis go rabhthas ag súil nuair a cinneadh ar chóilíneacht Gaeilgeoirí, ar 'Ghaeltacht nua' a bhunú dhá scór míle ó chathair Bhaile Átha Cliath.

Maidir leis na ceantair sin in iarthar na tíre a nglaotar Gaeltachtaí orthu ba é ba mhó a mhúscail spéis cuairteoirí sna ceantair seo le dhá chéad bliain anuas (agus a spreag iad le scríobh fúthu) ná áilleacht agus sceirdiúlacht na gceantar sin. Ach ó dheireadh an 18ú aois i leith bhí gné amháin eile d'iarthar na tíre a tharraing caint ní hamháin ó chuairteoirí ach ó lucht rialtais chomh maith, sé sin, an tiús millteanach daonra sna ceantair sin — pobal mór daoine ag brú ar thalamh a bhí, don chuid is mó dhe, fíor-bhocht ar fad; saol crua ag na daoine, an bhochtaineacht go fairsing agus caighdeán maireachtála an-íseal ag céatadán ard den bpobal. De réir mar a tháinig méadú mór ar dhaonra na tíre fré chéile sa tréimhse c. 1770-1845 bhí an ráta fáis sa daonra in iarthar na tíre, ar chuid den dtalamh ba bhoichte sa tír é, níos airde ná mar a bhí sé sa chuid is mó den dtír. Chuir an brú mór daonra seo ar thalamh bhocht an iarthair imní agus alltacht ar thráchtairí éagsúla — m.sh. baill de chumainn carthanachta éagsúla a fuair dóthain le déanamh in iarthar na tíre sa chéad leath den 19ú haois, d'réir mar a d'éirigh an bhochtaineacht níos coitianta agus de réir mar a bhrú ganntanas bídh níos mó agus níos mó daoine go béal na huaighe. Dhein Coimisiún Ríoga agus Coistí éagsúla Parlaiminte cás na mbochtán in Éirinn a scrúdú go mion agus go minic, agus b'é an breithiúntas céanna a thug na tráchtairí seo go léir, chomh fada is a bhain sé le ceantair bhochta an iarthair — bhí an tiús daonra ró-ard do thalamh bhocht agus gan de shlí bheatha ag furmhór mór na ndaoine ach an talmhaíocht agus beagán den iascaireacht, tionscal nach raibh forbairt cheart déanta air ag an am. Pé leigheas nó réiteach a bhí le moladh ag na tráchtairí éagsúla seo bhí siad ar fad, nach mór, ar aon fhocal faoi aon rud amháin, sé sin, go gcaithfeadh cuid den bpobal imeacht ó na ceantair bhochta seo. Bhí an imirce/eisimirce ina dlúth-chuid den réiteach a mhol go leor údair ar fhadhb na bochtaineachta agus an bhrú daonra in iarthar na hÉireann sa chéad leath den 19ú haois. Ar ndóigh, bhí ráta na heisimirce ag ardú sa tír fré chéile sna blianta díreach roimh an nGorta Mór, cé gur cosúil go raibh an ráta imirce níos ísle i gCúige Chonnacht ná mar a bhí sé sna cúigí eile ag an am.

Pé scéal é, idir an bás agus an bád bán, dhein an Gorta Mór agus na blianta a lean é díothú is deachú ar na haicmí ba bhoichte sa tír, na feirmeoirí beaga agus na sclábhaithe feirme, na haicmí arbh í an

Ghaeilge a ngnáth-theanga. D'fhág an Gorta Mór iarthar na tíre buailte go dona, agus go háirithe d'fhág sé pobal labhartha na Gaeilge laghdaithe agus lagaithe go mór. Leanadh den lagú is den díothú sin sa leathchéad bliain i ndiaidh an Ghorta Mhóir, agus go háirithe ó dheireadh na seachtóidí den aois seo caite, nuair a bhrostaigh go mór ar an ráta imirce ó cheantair an iarthair, na ceantair ba thiubha daonra ag pobal na Gaeilge. Faoi thús na seachtóidí den 19ú haois bhí b'fhéidir, suas le milliún duine taobh thiar den líne ó Dhoire go Corcaigh arbh í an Ghaeilge an teanga teaghlaigh agus pobail acu, agus níos fuide soir bhí Gaeltachtaí beaga fós in oirthear na Mumhan agus i gCúige Laighean. Ach bhí an teanga ag cúlú go tréan i dtreo chósta an Atlantaigh agus faoin mbliain 1891 ní raibh ach c. 700,000 cainteoirí dúchasacha Gaeilge fágtha sa tíre, agus beagán de bhreis ar leath den uimhir sin ina gcónaí i gceantair ina raibh an Ghaeilge ina teanga pobail. Léirigh daonáireamh na bliana 1891 go raibh tuairim is 14% den daonra sa tír dhá-theangach; go raibh 85% den daonra is gan ach an Béarla acu; rud a d'fhág nach raibh ach 1% den bpobal gan Béarla, is gan ach an Ghaeilge acu. Bhain na figiúirí seo geit as daoine, go háirithe daoine ar chás leo staid chultúrtha na tíre. Tá sé spéisiúil, mar shampla, cuspóirí na n-eagras agus na gcumann teanga a bunaíodh tríd an 19ú haois do chur i gcomórtas lena chéile. Ar feadh trí cheathrú den 19ú haois ba ar chúiseanna staire agus scoláireachta ba mhó a chuir daoine oilte gradamúla spéis sa Ghaeilge; ach sa cheathrú dheireanach den chéad — i bhfianaise an scéil a nochtadh sna daonáirimh éagsúla — bunaíodh go leor cumainn nua arbh í caomhnú agus cosaint na Gaeilge mar theanga bheo a gcuspóir. B'é Conradh na Gaeilge, ar ndóigh, an cumann ba cháiliúla de na heagrais nua seo. Ach dá fheabhas is a chruthaigh sé is dá mhéid is a d'éirigh leis an gConradh a bhaint amach (ó thaobh bolscaireachta de, go fiú sna Gaeltachtaí, agus ó thaobh an ghradaim a baineadh amach don dteanga sa chóras oideachais), níor éirigh leis an gConradh stop a chur leis an dtitim a bhí ag teacht le himeacht aimsire ar líon na gcainteoirí dúchasacha Gaeilge agus leis an gcúngú a bhí ag teacht ar an nGaeltacht ó dhaonáireamh go daonáireamh. Faoin mbliain 1922, nuair a bunaíodh Saorstát Éireann, ní raibh fágtha, b'fhéidir, ach timpeall 300,000 daoine ina gcónaí i gceantair ina raibh an Ghaeilge fós á húsáid mar theanga pobail, agus bhí an figiúr sin ag titim an t-am go léir.

Anois, pé ní faoi chás na teanga in iarthar na tíre idir an Gorta Mór agus bunú an tSaorstáit sa bhliain 1922, bhí fadhbanna eacnamaíochta agus sóisialta 'na gceantar gcúng' (faoi mar a bhíothas ag tabhairt orthu um an dtaca san) ag déanamh imní do lucht rialtais agus do cheannairí an phobail (idir chléir agus pholaiteoirí) le linn an ama seo go léir. Tháinig méadú mór, faoi mar a dúras cheana, ar an ráta imirce ó iarthar na tíre i ndiaidh an Ghorta Mhóir agus go h-áirithe ó dheireadh na seachtóidí den 19ú haois i leith. Ach toisc go raibh ráta breithe agus meán-mhéid an teaghlaigh araon ard sna ceantair seo bhí brú mór daonra i gcónaí ar thalamh bhocht sna ceantair seo, agus seansanna ar fhostaíocht ar bith eile seachas an talmhaíocht agus beagán iascaireachta anghann ar fad. Ó tharla go raibh nós na heisimirce fréamhaithe chomh daingean sin i meon agus i saol sóisialta na ndaoine in iarthar na hÉireann faoi dheireadh na haoise seo caite — agus ráta na heisimirce féin a bheith níos airde sna ceantair sin ná an meán náisiúnta — b'ait le duine, b'fhéidir, go gceapfadh éinne go raibh gá le scéimeanna ar leith chun daoine a spreagadh nó a mhealladh chun imeacht as na ceantair seo. Ach bhí a leithéid ann, mar sin féin, sa cheathrú dheireanach den 19ú haois — dála scéim James Hack Tuke sna blianta 1882-84 faoinar tugadh tacaíocht airgid do dhaoine in iarthar na tíre imeacht ón mbochtaineacht is ón anró a bhí ar gach taobh díobh. Bhain Tuke é féin le clann iomráiteach de Chumann na gCarad (na Quakers, mar thugtar orthu sa Bhéarla), clann a bhí fial agus carthanach leis na bochtáin in Éirinn níos mó ná uair amháin sa 19ú haois. Faoi scéim Tuke — scéim ar glaodh an 'Free Emigration Scheme' uirthi — meastar gur imigh timpeall deich míle duine ar fad ó iarthar na tíre sna blianta 1882-84, ina measc dream as na hOileáin, as an gCeathrú Rua agus as Ros Muc.

Laistigh de dheich mbliana tar éis scéim imirce Tuke, áfach, ghlac an Rialtas féin céim mhór chun cinn maidir le feabhas a chur ar shaol na ndaoine in iarthar na tíre, nuair a cuireadh ar bun Bord na gCeantar gCúng sa bhliain 1891. Dhein Bord na gCeantar gCúng (an C.D.B. mar ghlaotar air go minic) obair mhór ina lá in iarthar na hÉireann, i gcúrsaí iascaireachta agus talmhaíochta, ag tabhairt spreagadh agus cuidiú d'obair ceardaíochta, agus ag cuidiú le forbairt an bhunstruchtúir (i.e. céibheanna, bóithre srl.)

De réir mar a fuair an Bord cumhachtaí breise idir 1891 agus 1922 ghlac sé seilbh ar thalamh a fágadh díomhaoin, nó ar thalamh a bhí á dhíol ag tiarnaí talún, agus roinneadh an talamh sin ar shealbhóirí beaga, sealbhóirí nár leor lena gcothú na gabháltais bheaga a bhí acu agus a bhí ag iarraidh cúpla acra breise le seans cothrom maireachtála a thabhairt dóibh féin agus dá gclann. Obair mhaith, má's ea, cuid mhór den obair a dhein Bord na gCeantar gCúng in iarthar na tíre sa deich mbliana is scór ina raibh sé ag feidhmiú, cé gur léirigh Coimisiún Dudley sa bhliain 1907 go raibh fadhbanna móra sóisialta agus eacnamaíochta fágtha fós in iarthar na hÉireann, in ainneoin obair an CDB.

Tá sé spéisiúil gur tháinig ceantair Ghaeltachta uile ár linne féin (cé is moite den Rinn agus de Ghaeltacht 'nua' na Mí) — gur thánadar ar fad faoi choimirce an CDB agus, go deimhin, tá deáchuimhne fós i measc na seandaoine i gceantair áirithe Gaeltachta ar an obair a dhein an CDB ag tús na haoise seo. Ach, ar ndóigh, ba i dtéarmaí eacnamaíochta agus socheolaíochta amháin a ceapadh scéimeanna forbartha an CDB, agus ó thaobh teanga agus cultúir de ní haon áibhéil a rá gur threisigh an CDB tionchar an Bhéarla ar shaol na gceantar Gaeltachta. Ní fhéadfaí bheith ag súil leis, ar ndóigh, go mbeadh Rialtas na nGall buartha faoi chúngú na Gaeltachta ar chúiseanna teanga nó cultúrtha. Ach, ba scéal eile ar fad é nuair a bunaíodh Stát Éireannach dár gcuid féin sa bhliain 1922. Bunaíodh an Stát seo ar an dtuiscint gur chiallaigh flaitheas polaitíochta féiniúlacht chultúra, agus gurb í an Ghaeilge bunchloch na féiniúlachta sin in Éirinn. Mar sin, sa bhliain 1922 fógraíodh an Ghaeilge ina teanga oifigiúil don Stát nua, agus ceapadh polasaithe chun caomhnú agus athbheochaint na Gaeilge mar theanga pobail a chur chun cinn. Bhí na polasaithe sin dírithe, ach go háirithe, ar an gcóras oideachais agus ar an Státsheirbhís, ach glacadh leis ón dtús gurb í an Ghaeltacht tobar na Gaeilge agus nach mbeadh ciall ná brí le polasaí athbheochana nach mbeadh bunaithe ar phobal láidir sa Ghaeltacht. Sa bhliain 1925, mar sin, bunaíodh *Coimisiún* chun staid na Gaeltachta a scrúdú. B'é Risteárd Ó Maolchatha cathaoirleach an Choimisiúin, agus ar na baill cháiliúla bhí An Seabhac, Fiachra Éilgeach agus an Fear Mór. Idir Aibreán agus Deireadh Fómhair 1925 thug na coimisinéirí cuairt ar áiteanna i dTír Chonaill, i Muigheo, Gaillimh, Co. an Chláir, Ciarraí, Corcaigh, Port Láirge agus Co. Lú. Ghlacadar le fianaise freisin i mBaile Átha Cliath. San iomlán thug 100 duine fianaise go poiblí agus chuir go leor eile fianaise scríofa faoi bhráid na gCoimisinéirí. Bhí comhoibriú na múinteoirí, na sagart agus na ngardaí fíorthábhachtach d'obair an Choimisiúin. B'údar imní na figiúirí a nochtadh i dtuarascáil an Choimisiúin. Fritheadh amach nach raibh ach c. 147,000 duine ag cur fúthu i gceantair ina raibh an Ghaeilge mar theanga teaghlaigh ag breis is 80% den bpobal, agus go raibh c. 110,000 eile i gceantair ina raibh Gaeilge ag idir 25% agus 79% den bpobal. Go garbh, chiallaigh sé sin go raibh níos lú na ceathrú milliún ina gcónaí i gceantair a bhféadfaí, d'réir chaighdeáin ar bith, Gaeltachtaí a thabhairt orthu (agus iarracht den áibhéil sa bhfigiúr seo, fiú). Maidir le moltaí an Choimisiúin is fuiriste coimriú a dhéanamh ar na príomh-mholtaí. Ó tharla nach raibh ach c. 10% de sheirbhísigh an Stáit sna ceantair Ghaeltachta in ann a ngnóthaí a dhéanamh tré Ghaeilge do mhol an Coimisiún scéimeanna éagsúla chun an scéal seo a leigheas agus chun deimhniú go mbeadh Gaeilge ag oifigigh an rialtais láir (agus an rialtais áitiúil) sna ceantair Ghaeltachta. Mhol na Coimisinéirí go ndéanfaí iarracht ar leith an Ghaeilge a thabhairt chun cinn sna Ranna úd — ar nós an Roinn Tailte agus Talmhaíochta, agus Leasa Shóisialta — a raibh baint láidir acu le saol na ndaoine sa Ghaeltacht. Daoradh go láidir truailliú nó Galldú áitainmneacha nó teastaisí oifigiúla (ar nós teastas breithe). Dúrathas sa tuarascáil go raibh ceithre ghrúpa a raibh freagarthacht ar leith orthu i leith na Gaeilge sa Ghaeltacht, toisc gradam agus stádas a bheith acu sa bpobal — b'iad seo a) na sagairt b) daoine gairmiúla c) lucht an phreas agus lucht cumarsáide i gcoitinne d) bainisteoirí agus úinéirí comhluchtaí gnó is a leithéid. B'í tuairim na gCoimisinéirí gur chóir chuile iarracht a dhéanamh chun comhoibriú na gceithre ghrúpa seo d'fháil. I gcúrsaí eacnamaíochta, cuireadh an bhéim ar fad ar fhorbairt na hiascaireachta, feabhsú na talún, agus ar thionscail teallaigh. Bhí moltaí eile sa tuarascáil faoi chúrsaí oideachais, forbairt ar mhaoin aiceanta na gceantar Gaeltachta, agus faoi dheontaisí agus iasachtaí speisialta le h-aghaidh feabhsú an chórais thalmhaíochta. Ach b'é an moladh ba chonspóidí, b'fhéidir, ná an moladh a bhí ann chun bunfhadhb na gceantar Gaeltachta a réiteach — sé sin, brú daonra ró-mhór ar thalamh a bhí ró-bhocht. Mhol an Coimisiún go mbrisfí suas na heastáit mhóra agus go ndéanfaí an talamh d'athroinnt i measc feilméaraí beaga. Sa chás go mbeadh gá le daoine a dhíláithriú b'í tuairim an Choimisiúin gur chóir gurb iad lucht labhartha an Bhéarla ba thúisce a d'imeodh ón nGaeltacht. Ach fiú amháin dá dtarlódh sin, cheap na Coimisinéirí go mbeadh an tiús daonra iomarcach in áiteanna áirithe in iarthar Thír Chonaill, i gConamara agus in Iorras i gCo. Mhuigheo. Dá bhrí sin mhol an Coimisiún gur chóir pobail ós na ceantair seo a dhíláithriú (nó a dhíphréamhú) agus talamh a thabhairt dóibh i limistéirí eile i nDún na nGall, Muigheo agus Gaillimh, nó mura mbeadh sé sin indéanta, talamh d'fháil dóibh i Sligeach, Ros Comáin, Cill Mhantáin, Cill Dara nó Co. na Mí. Séard a chiallaigh sé seo ná

eisimirce pobail a bheadh pleanáilte agus a bhunódh *pobail
Ghaeltachta* i gceantair Ghalltachta ina raibh an talamh sách maith
le pobal a chothú i gceart.

Maidir leis an moladh áirithe seo — gur chóir pobail Ghaeltachta
d'aistriú óna gceantair féin isteach faoin tír agus go lonnófaí iad in
áit ina mbeadh an talamh sách maith agus na gabháltais sách mór
chun slí bheatha cheart a thabhairt dóibh, agus go mbunófaí dá réir
cóilíneachtaí nua Gaeltachta istigh i lár na tíre — is fiú féachaint
conas ar tháinig an bun-smaoineamh seo chun cinn.

Ar ndóigh, ó dheireadh an 19ú aois moladh go minic — i gcolúin
an *Chlaidheamh Soluis,* mar shampla — gur chóir postanna a
thabhairt do mhuintir na Gaeltachta i gcathracha agus i mbailtí
móra *na hÉireann*, in áit iad do bheith ag imeacht leo go tréan go
cathracha Mheiriceá agus Shasana. Go minic níor chiallaigh moltaí
mar seo mórán níos mó ná teaghlaigh áirithe sa chathair — go
háirithe Baile Átha Cliath — a bhí báúil don teanga agus a bhí ag
iarraidh cailíní iontaofa ón nGaeltacht d'earcú mar chailíní aimsire.
Chuaigh cuid de na moltaí níos fuide ná seo. Bhí caint ar áisínteacht
fostaíochta a bhunú do Ghaeilgeoirí, áisínteacht a dhéanfadh
liostaí a chur le chéile de phostanna a bhí ag imeacht i mbailtí móra
na tíre, agus a mbeadh fáilte ar leith roimh dhaoine ón nGaeltacht
le haghaidh na bpostanna sin.

Chomh fada is a bhain le talamh mhaith a bheith á roinnt ar
shealbhóirí beaga, b'fhada sealbhóirí beaga na tíre — idir
Bhéarlóirí is Ghaeilgeoirí — ag éileamh a leithéid sa 19ú haois. Ach
de bharr na nAchtanna éagsúla talún a ritheadh idir 1881 agus 1923
bhí cumhachtaí agus údarás ag Coimisiún na Talún (a bunaíodh faoi
Acht Talún na bliana 1881) chun eastáit mhóra a cheannacht ós na
tiarnaí talún agus an talamh a dhíol leis na tionóntaithe. Le
himeacht aimsire chuaigh cumhachtaí Choimisiún na Talún i méid.
Seo mar a dhein F.J. Meyrick (oifigeach sa Roinn Tailte agus
Talmhaíochta) cur síos ar na cumhachtaí a bhí ag Coimisiún na
Talún faoin mbliain 1922, agus fianaise á thabhairt aige do
Choimisiún na Gaeltachta ag tús mí Bealtaine 1925:

> The Act of 1903 provided for the sale of *Estates,* as distinguished from
> the sale of individual holdings under the earlier Acts. It also empowered
> the Land Commission to acquire Estates for purposes of resale, and to
> acquire untenanted land for the purpose of enlarging small holdings and
> providing new holdings for certain classes of persons (e.g. occupiers of
> small holdings, migrants, former tenants.)

*Gasúir as Garumna sa mbliain 1935.*

Bhí cumhachtaí den saghas céanna ag Bord na gCeantar gCúng ón mbliain 1903 i leith, arís faoi mar a mhínigh F.J. Meyrick do Choimisiún na Gaeltachta:

> The Act of 1903 increased the income and powers of the Congested Districts Board, which had been constituted by the Act of 1891 for the improvement of the condition of the inhabitants of certain "congested districts" in the Counties of Donegal, Leitrim, Sligo, Roscommon, Mayo, Galway, Kerry and West Cork. The powers of the Board relating to the purchase, improvement and resale of land, including migration and the amalgamation or enlargement of holdings, were analogous to those of the Land Commission as regards lands purchased by it under the Act of 1903.
> The Act of 1909 reconstituted the Congested Districts Board and made it a corporate body. It empowered the Board to acquire land compulsorily in the Congested Districts Counties, which under the Act were extended to include the entire Counties of Donegal, Sligo, Leitrim, Roscommon, Mayo, Galway and Kerry, the six rural districts of Ballyvaughan, Ennistymon, Kilrush, Scarriff, Tulla and Killadysart in the County Clare and four rural districts of Bantry, Castletown, Schull and Skibbereen in the County Cork. The Act of 1909 also empowered the land Commission to acquire compulsorily congested estates and untenanted land not situated in Congested Districts Counties. 312,608 holdings comprising 11,281,200 acres were purchased under the Acts 1870-1909. These figures include not only existing holdings but also holdings created or enlarged out of untenanted land by the Land Commission and Congested Districts Board. The untenanted land acquired by the Land Commission and the Congested Districts Board has been utilised in the enlargement of existing holdings and in the provision of new holdings for certain prescribed classes (e.g. migrants, evicted tenants, trustees for turbary and grazing and plantations). The expression "untenanted land" includes not only arable land but also turbary and cutaway bog, mountain an rough grazing, lands under plantation and land surrendered by migrants and others on allotment of new holdings. Over 815,000 acres of untenanted land have been distributed by the Congested Districts Board and the Land Commission under the Acts prior to that of 1923.

Le bunú Shaorstát Éireann sa bhliain 1922 cuireadh deireadh le Bord na gCeantar gCúng, ach de réir Acht Talún na blianta 1923 fágadh na cumhachtaí agus na cúraimí a bhain leis an CDB ag Coimisiún na Talún. Mar sin, bhí dóchas ag go leor sealbhóirí beaga sa nGaeltacht go mbeadh talamh á roinnt ag Coimisiún na Talún sna limistéir Ghaeltachta, agus go bhfaigheadh teaghlaigh áirithe, ar chuma ar bith, dóthain acraí breise le feirm cheart, inmharthana a thabhairt dóibh. Ach b'í tuairim na coitiantachta nach mbeadh dóthain talún — talamh mhaith — ar fáil sna limistéir Ghaeltachta féin chun na héilimh ar fad a shásamh, agus dá réir sin go mbeadh ar theaghlaigh áirithe imeacht óna n-áit dúchais féin dá dteastódh uathu feirm cheart d'fháil ó Choimisiún na Talún.

Bhí an imirce, mar sin, *imirce inmheánach* nó aistriú pobail laistigh d'Éirinn, ar na ceannteidil a bhí leagtha síos ag Coimisiún na Gaeltachta nuair a thosnaigh an Coimisiún ag bailiú eolais agus ag éisteacht le fianaise. Anois, cé gur mhol *Tuarascáil* an Choimisiúin scéim imirce phleanáilte mar cheann de na beartais a rachadh chun leasa na Gaeltachta, ní cóir a cheapadh go raibh na Coimisinéirí féin ná na finnéithe go léir ar aon intinn faoin moladh. Nochtadh an dá thuairim i leith na scéime le linn don Choimisiún a bheith ag ullmhú na Tuarascála.

Ar na daoine a bhí i bhfabhar a leithéid de scéim imirce bhí an Dr. Bartley Ó Beirne (as Contae na Gaillimhe), an Dr. Seán P. MacÉnrí (Uachtarán Chonradh na Gaeilge agus Léachtóir i gColáiste na hOllscoile, Gaillimhe); an Seanadóir Éamonn MacGiolla Iasachta (ó Chontae an Chláir); Daniel Tighe agus Proinsias Ó Grianna as Dún na nGall; an tOllamh Tomás Ó Máille (Coláiste na hOllscoile, Gaillimh), Alastair MacCába, agus daoine eile nárbh iad. Ar an dtaobh eile den scéal, áfach, bhí roinnt finnéithe nach raibh ró-thógtha in aon chor leis an smaoineamh. Dúirt an tOllamh Liam Ó Briain (ó Choláiste na hOllscoile, Gaillimh); an méid seo:

> I am not an economist or a business man… However, I am against transplanting people out of the Gaeltacht into the Galltacht. I believe their language would have no chance.

Bhí an méid a bhí le rá ag Seán Ó Murthuile in aghaidh na scéime níos láidre fós:

> I have heard it suggested that the removal of colonies of Irish-speaking families to the Midlands would have the effect of remedying the trouble. I disagree entirely with this view, and I give my reasons here:-
>
> 1. From the language point of view, the largest colony that land distribution facilities could permit could not in my opinion — no matter how loyal they were to the language movement — withstand

the continuous crushing influence of the English language around
them on all sides.

2. Though it may be held that the colonists should permeate the
   civilisation of those around them rather than surrender, I think that
   had the sea not prevented it, had the Gaeltacht not been bounded on
   the west by the Atlantic, and furthermore, had our western ports not
   been bereft of commercial intercourse (except in a small way) with
   outside countries, the Gaeltacht would have been crushed out by an
   English civilisation pressing in upon it from west as well as east.

3. Granting that the colonists can preserve the language, they would be
   entirely unsuitable to work the lands of Meath, for example, and
   would need equipment, training, and supervision far more costly
   than the development of industries at home.

It may be argued that the congestion in the Gaeltacht calls for migration.
This is true, I admit, but, to my mind migration across the semi-Irish-
speaking districts to settlements on the lands in Meath or Kildare is
undesirable. An extension of the Gaeltacht is what is needed. There are
ranches and large estates in the semi-Gaeltacht that should be cleared and
divided into economic holdings for the "congests" before any colonies are
moved. A gradual extension of the Gaeltacht could take place in this way,
and it would mean an extension rather than a diminution of the Irish-
speaking districts.

Again, there might be a bureau set up for the placing of boys and girls
from the Gaeltacht in suitable positions all over the country. It is true, of
course, that they prefer to emigrate rather than work at home. I am not so
sure that all the blame rests on them, as employers and would-be employers
do not always show them encouragement to stay, either in respect of wages
or conditions of service.

Fear eile a chreid gur chóir fostaíocht thionsclaíochta a chur ar
fáil do phobal an iarthair in áit bheith ag aistriú daoine soir go lár na
tíre ba ea an Seanadóir Colonel Moore as Contae Mhuigheo:

In my opinion the West must be industrialised and the people kept
there in the main. Make Connaught an industrialised Irish-speaking
district first and then it will be time enough to establish Irish-speaking
colonies in the Midlands and the East. These latter are too Anglicised to
be Gaelicised: the reverse will happen very quickly, in one generation or
less, and at the same time you will be weakening the Irish districts by the
migration of its few — very few — Gaels. Concentrate on the West,
while at the same time insist that no jobs, high or low, are given to non-
Irish speakers in any part of Ireland. The reverse policy made English

23

*Radharcanna as Ceantar na nOileán.*

fashionable: let there be another turn of the wheel, this will give an advantage to Irish speakers over the rest of the population. I say establish industries where possible and bring the young people into the few factories near their old homes: properly managed they can keep their Gaelic there. Some will move later to other parts, and, being better educated than the farmers, they will bring Irish with them. Irish must spread outwards from the Gaeltacht when this has become industrialised.

Agus i measc na gCoimisinéirí féin bhí fear amháin, an tAthair Seán Mac Cuinneagáin (Cigire Dheoise Ráth Bhoth) nár aontaigh leis an moladh faoi aistriú pobail. I ráiteas pearsanta a foilsíodh mar aguisín leis an dTuarascáil dúirt an tAthair Ó Cuinneagáin an méid seo:

Migration. — To my mind, a sufficiently strong case has not been made, in favour of migration, to warrant its being advocated and recommended by the Commission. The whole mentality of the Gaedhealtacht is against it, if efforts were made to enforce it, only the less suitable subjects will be prepared to change; the cost would be prohibitive.

Enlargement of holdings may necessitate the transferring of individual tenants to other districts within the Gaedhealtacht or to its immediate neighbourhood; but there should be no general effort to transfer any large percentage of the inhabitants of the Gaedhealtacht, either as self-contained colonies, or as scattered units to districts, totally different from their own. I am convinced, this would mean so many Irish speakers ultimately lost to the Gaedhealtacht.

Development from the Gaedhealtacht outwards should be a gradual process in the re-Gaelicising of Ireland, just as the Anglicisation of Ireland was a gradual process from the Pale outwards; and in development from within also, lies, in my opinion, the solution of the problem confronting the Gaedhealtacht from the economic standpoint.

Fiú amháin na finnéithe a bhí i bhfabhar scéim na himirce ní fhéadfaí a rá gur moladh gan coinníoll a bhí á dhéanamh acu. Do thuigeadar go maith na deacrachtaí agus na fadhbanna a bhainfeadh le haistriú pobail faoi mar a bhí á mholadh sa Tuarascáil. Arís is arís eile, hardaíodh na ceisteanna tábhachtacha céanna. Cé mhéid teaghlaigh nó daoine a chaithfí d'aistriú le go mbeadh seans maith ag an gcóilíneacht nua Gaeltachta bheith inmharthana mar phobal Gaeltachta? Cé is mó a bheadh sásta imeacht, seandaoine nó daoine óga? Cén coibhneas idir na haois-ghrúpaí éagsúla a bheadh sásúil? Cén meascán daoine agus gairmeacha is fearr a d'oirfeadh do chóilíneacht nua — ba léir nár leor feirmeoirí amháin, ach an bhféadfadh pobal nua a bheith 'iomlán' gan múinteoir, sagart, siopadóir agus eile dá gcuid is dá dteanga féin? Ansan bhí ceist faoi ionad oiriúnach d'fháil don bpobal nua — arbh fhearr (ag glacadh leis gurbh fhéidir) talamh d'fháil cóngarach do na ceantair Ghaeltachta a bheadh á bhfágaint ag na daoine, nó an mbeadh sé riachtanach nó níos sásúla talamh d'fháil don chóilíneacht nua in oirthear na tíre? Ar chóir don chóilíneacht nua Gaeltachta bheith lonnaithe cóngarach do bhaile mór (baile mór a mbeadh an Béarla i réim ann) nó arbh fhearr iarracht a dhéanamh an pobal nua Gaeltachta a lonnú i bhfíor-cheantar tuaithe? Bhí na ceisteanna seo — agus roinnt mhaith ceisteanna eile — ag déanamh scime do na Coimisinéirí agus do chuid de na finnéithe.

Mar shampla, ag trácht ar an mbochtaineacht a bhí feicthe aige i Leitir Móir agus Leitir Mealláin, dúirt an Dr. Ó Beirne an méid seo:

> This area is overcrowded. The housing is bad, and the people are very poor. Migration is the one solution. The young men should be given farms, say about twenty acres each, in the eastern portion of the county, or in other districts where land is available. They should form little villages. The language in those villages would be Irish, as the young men would naturally marry girls from near their original homes. The effect of such Irish-speaking colonies would, in time, be bound to spread the language in the surrounding districts.

Cheap an Dr. Ó Beirne go mbeadh céad teaghlach ag teastáil chun cóilíneacht láidir a bhunú:

> So long as the population is allowed to stay in Lettermore and Lettermullen you will have nothing but misery and poverty. Their economic means are practically nothing; they just live from hand to mouth. I suggest that you remove a number of families to other portions of the county, say East Galway, where land is available. I have reason to believe that farmers in East Galway would be willing to give up the lands they have for places in Meath — places that would be equal to their own farms. I would migrate them in 100 families, taking their own teachers and priests with them, and I would have the villages close together. For the first few years the Government should give them all the help they could in line of supplying them with farm tools and equipment. They are only accustomed to the spade; they know nothing of plough or harrow,

26

and the East Galway land would be new to them. They should also have Irish instructors. I would place them close to the railway line, my idea that people from Dublin, students and others, would often come down there. That would encourage them and create an interest in the language.

Agus, maidir le háitreabh nua bhí an méid seo le rá ag an Dr. Ó Beirne:

"Do you suggest that they be moved into East Galway in preference to Meath?
Yes, because they would be more content. They would be nearer the old home. They would prefer East Galway to Meath. Meath would be out of their world as far as their lives are concerned".

Dúirt an Dr. Mac Énrí Uachtarán Chonradh na Gaeilge, an méid seo:

Má tá imirce le baint as Gaedhilgeoirí ó'n nGaedhealtacht go dtí fearann bán san nGalldacht ní mór gan iad a scaipeadh i measg Béarlóirí nó caillfidh siad an Ghaedhilg. Ba bhreagh an rud é dá bhféadfaidhe na Béarlóirí a mhealladh as paróiste nó dhó i ngach cúige, an talamh ar fad a bheith ag lánamhna Gaedhealacha, sagart, dochtúir, siopadóir agus oidí sgoile Gaedhealacha a bheith aca agus an talamh a thabhairt dóibh ar choingheall go ngoinneocáidh siad an Ghaedhilge beo. Fir a bheith ann le talamhaidheacht a mhúinadh dóibh.

Agus, arís, cheap an Seanadóir Éamonn MacGiolla Iasachta gur chóir bheith cúramach le bunú cóilíneachta nua:

"In order to minimise the danger of the migrants from the Gaeltacht under a resettlement scheme becoming anglicised, it is recommended that the colonies to be transplanted should be as large and cohesive as possible, and that they should be resettled as near to the Gaeltacht districts as practicable."

Cheap an Seanadóir MacGiolla Iasachta go mba leor 20 teaghlach chun an chóilíneacht nua a chur ar bun, cé gur ghlac sé leis go mba ionmholta an rud é dá mbeadh an chóilíneacht nua níos mó ná sin.

B'fhéidir gurb é Alastair MacCába an té ba láidre ar son na scéime nua; agus b'é, freisin, feictear dom-sa, ba mhó a dhein machnamh ar an scéal sar a dtáinig sé i láthair an Choimisiúin. Ag

27

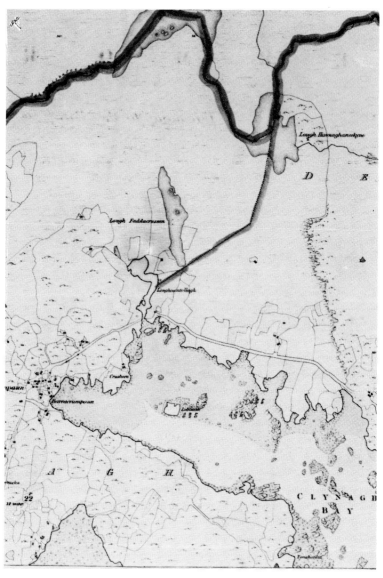

*Cuid den Cheathrú Rua sna 1840idí.*

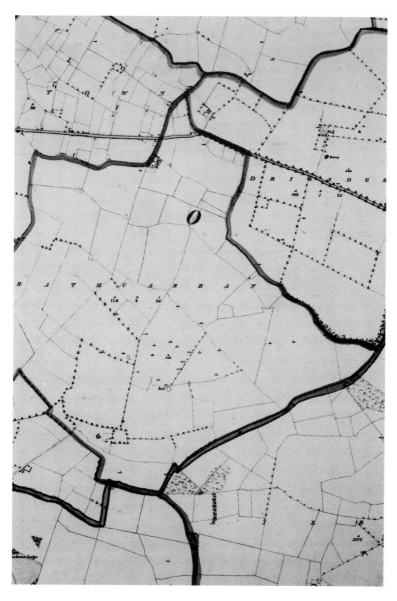

*Ráth Cairn sna 1840idí.*

freagairt ceisteanna dó, dúirt MacCába an méid seo:

> "I would be in favour of a community large enough to be self-contained. I would say no less than fifty families.
>
> I would say about thirty or forty farmers would do, and the remainder would be employed on supply services or meeting their wants in the nature of shops or industries."

Timpeall fiche acra an clann na feirmeacha nua a bheadh ag teastáil ó theaghlaigh sa chóilíneacht nua, dar le MacCába, rud a chiallódh go gcaithfí teacht ar suas le 800 acra chun an chóilíneacht nua a bhunú. Cén áit sa tír a bhfaighfeá a leithéid de thalamh, a d'iarr Cathaoirleach an Choimisiúin ar MhacCába:

> "The most feasible thing would be to go where you could get land. You don't get farms of 700 to 900 acres on the confines of the Gaeltacht or west of the Shannon. Possibly you would get them in Roscommon, and you would find them in such counties as Meath, Westmeath, and Kildare probably. If you wanted a big settlement you would have to come into these counties. I don't think it would matter very much whether they were on the confines of the Gaeltacht or in the Midlands. One advantage in having them towards the east would be to give facilities to people who were really sincere in their belief in the language, and they would avail of these colonies to learn the spoken language properly."

Bhí go leor rudaí spéisiúla eile le rá ag MacCába faoin bplean, ach is léir ón bhfocal scoir seo uaidh go raibh sé soiléir faoi cén cineál scéime a bhí á moladh aige:

> Briefly, the ideal organisation to aim at in such a settlement would be:- the migrants to be settled in reasonably-sized villages with their own schools, churches, co-operative stores, creameries, and shops, if possible, where only Irish-speaking clergymen, teachers, shopmen, managers, etc., would be employed. Voluntary help could, without doubt, be secured for the building of places of entertainment, such as picture-houses, theatres, and recreation halls, in which Irish alone would be used.
>
> There would also be the opportunity for establishing high schools and technical schools, etc., to which the Department of Education would have to lend its assistance. It should be possible also, if the settlement were on a railway line, to have an Irish-speaking staff, the idea finally being to bring native speakers into contact with every modern development so that our vocabulary might be brought abreast of the

times by the people who are best fitted for the work — namely, those who are accustomed to think and express themselves in the idiomatic way from their cradles.

Fágfaimid finnéithe agus fianaise Choimisiún na Gaeltachta ag an bpointe seo. Nuair a mhol Tuarascáil an Choimisiúin gur chóir tabhairt faoi chóilíneachtaí Gaeltachta a bhunú istigh faoin tír níor deineadh an moladh gan cuid mhór tuairimí agus comhairle a bheith cloiste ag na Coimisinéirí, ar an dá thaobh den argóint. Cén ceann a tógadh do na tuairimí éagsúla seo, cén aird a tugadh ar an gcomhairle, nuair a bhí polasaí Gaeltachta á cheapadh sna fichidí agus sna tríochaidí, is go háirithe nuair a bhí cóilíneacht nua Gaeltachta á beartú do Chontae na Mí sna tríochaidí? Ceisteanna iad seo a bheidh á bplé agus á bhfreagairt ag mo chomhléachtóirí sa chuid eile den tsraith seo.

# 2 *Proinsias Mac Aonghusa*
*Iriseoir agus craoltóir de chuid Raidió Teilifís Éireann*

# An Feachtas ar son Ráth Cairn

Thart ar leathchéad bliain ó shoin, ar an 12ú lá d'Aibreán, 1935, shroich trí bhus speisialta de chuid Chomhlacht Busanna Éireann agus sé leoraí de chuid Mhór-Bhóthar Iarainn an Deiscirt, baile beag Ráth Cairn i lár Chontae na Mí. Bhí cheithre scór duine ar na busanna seo agus bhí a raibh acu de mhaoin an tsaoil ar na leoraithe. Ba dian, fada an turas é ar dhroch bhóithre as Leitir Móir i ndeisceart Chonamara, an lár-ionad as a dtáinig siad go moch an mhaidin sin.

Ní miste an chaoi ina raibh an tír san am a thabhairt chun cuimhne. Ní raibh na Sasanaigh imithe as na 26 Chontae ach le 13 bliana. Bhí pobal na tíre scoilte ag cogadh cathartha fíochmhar a chríochnaigh go hoifigiúil sa mbliain 1923 ach a mhair go neamhoifigiúil ar feadh i bhfad ina dhiaidh sin. Bhí na daoine andeighilte agus iad an-tógtha le cúrsaí géara polaitíochta. Trí bliana roimhe sin a cuireadh rialtas Chumann na nGaedheal amach agus go ndeachaigh Éamon de Valera i gceannas ar an Saor Stát. Ach bhí iarrachtaí neamh-bhunreachtúla á ndéanamh trí eagraíochtaí Faisisteacha ar nós na Léinteacha Gorma, ar a raibh cuid mhór ainmneacha éagsúla, an Stát a chur trína chéile agus rialtas Fhianna Fáil a bhriseadh mar a bhris Mussolini rialtas na hIodáile sa mbliain 1922. Bhí an IRA láidir, gníomhach agus contúirteach don stát. Sa Tuaisceart bhí géarleanúint ghránna á dhéanamh ar Chaitlicigh mar Chaitlicigh agus ar Phoblachtánaithe agus ar Shóisialaigh, freisin.

32

Agus in Éirinn, ar nós thíortha chaipitleacha eile, bhí an tóin tite as an gcóras agus an dífhostaíocht an-ard amach is amach. Bhí ocras in áiteacha in Éirinn an bhliain sin. Bhí ganntanas ina lán áiteacha. Bhí an Cogadh Eacnamaíochta idir Éire agus Sasana ar siúl maidir leis na hannáidí talún agus ní raibh luach ar bith le fáil ar bheithígh.

Bhí an saol sách dona ag cuid mhaith de phobal Chonamara agus na n-oileán. Le hais fataí, agus corr iasc, ní mórán a bhí le n-ithe i gcuid mhaith tithe sa mbliain 1935. Agus maidir leis na tithe féin, botháin agus teáltaí a bhí i gcuid mhaith díobh.

Cheithre scór agus triúr de mhuintir Chonamara a shroich Ráth Cairn an chéad lá sin. Bhí an áit feicthe ag cuid acu cheana. Seachtain roimhe sin tugadh fir as gach teaghlach dá raibh talamh le fáil acu aniar leis an áit a fheiceáil. B'iontach leo a bhfacadar. Ní móide go bhfaca mórán acu talamh chomh breá leis cheana: ní raibh aon chomórtas idir é agus garrantaí beaga clochacha Chonamara.

Seo iad an mhuintir a tháinig an chéad lá stairiúil sin, an chéad cheithre scór den chéad ochtó a dó duine a tháinig go Ráth Cairn sa mbliain 1935:

> Triúr de mhuintir Mhic Dhonnchadha as Inis Bearachain: ceathrar de mhuintir Sheoighe as Baile na Cille; dhá dhuine dhéag de mhuintir Chonaire as an Máimín; seisear de mhuintir Mhic Dhonnchadha as an gCeathrú Rua; seisear de mhuintir Chofaigh as Leitir Móir; seachtar de mhuintir Mhic Craith as Leitir Caladh; dhá dhuine dhéag de mhuintir Churraoin as an Trá Bháin; cheithre dhuine dhéag de mhuintir Chatháin as an Máimín; cúigear de mhuintir Shúilleabháin as an gCeathrú Rua; deichniúr de mhuintir Chonghaile as Inis Treabhair; agus ceathrar de mhuintir Lupáin as Eanach Mheáin.

An oíche sul ar fhágadar an áit thiar bhí *time* ina lán tithe — ó thráthnóna Déardaoin go dtí go dtáinig na busanna agus na leoraithe as Gaillimh roimh bhánú an lae ar an Aoine.

Rincí, ceol, amhráin, daoine óga an-tógtha faoin saol nua a bheadh ann thoir, daoine níos sine ná iad agus cumha orthu. Is iomdha duine díobh nach raibh níos faide soir ná Gaillimh riamh roimhe sin agus bhí cuid acu nach raibh an fhaid sin féin. Ní hé gach duine acu a chuala cheana faoin Áth Buí!

Ní hin le rá nach raibh cuid acu i Meiriceá roimhe sin, Meiriceá a bhí anois dúnta de bharr chliseadh an chórais sa mbliain 1929 agus a dtáinig dá bharr. Oíche í a bhí sách measctha idir bhrón agus ardú croí.

An-mhaidin go deo a bhí sa maidin Aoine ar imíodar, an ghrian

*Fir Chonamara ag tabhairt súil thart ar thailte na Mí.*

ag scalladh, gan mórán gaoithe ann, Cuan an Fhir Mhóir ag breathnú go hálainn. Bhí caoineadh ann an mhaidin sin agus é le clos go hard. Caoineadh na ndaoine a bhí ag dul soir; caoineadh a muintir agus a gcomharsan a bhí ag fanacht thiar. Caoineadh uaigneach. Pé rud a thárlódh, bíodh an saol go maith nó go dona i gContae na Mí, briseadh mór idir daoine a bheadh ann. Tuigeadh sin go maith. Bhí Beairtle Ó Curraoin cheithre scór agus dhá bhliain d'aois agus bhí a bhean chéile cheithre bliana déag agus trí scór. An mhaidin sin chuaigh sé ag taispeáint an Trá Bháin do strainséir a bhí ag tógáil pictiúir.

"Ní leagfaidh mise súil ar an Trá Bháin arís choíche," dúirt sé leis, agus a chroí briste.

Bhí neart eile a raibh smaointe den chineál céanna acu an mhaidin Aoine sin, cuid acu ag cuimhniú ar chomharsain a rabhadar ina gcónaí lena n-ais ó rugadh iad, cuid eile ar áiteacha áirithe, daoine óga ag cuimhniú ar bhuachaillí agus ar chailíní a bhíodar a fhágáil ina ndiaidh. Agus an mhuintir a bhí ag fanacht thiar ar an gcaoi chéanna.

Ar ndóigh, siad a bhí tuirseach nuair a shroicheadar ceannscríbe, go háirithe iad siúd nár chodail néall an oíche roimhe sin agus ar cuireadh an oiread moill orthu nuair a bhris an bus síos! Cuid acu, is ar urláir a dtithe nua a chodlaíodar an chéad oíche le neart tuirse. Chuir sé ard-iontas ar a lán acu cé chomh fada soir is a bhí Áth Buí agus Ráth Cairn! Dá laghad í ar bhealaí, ba an-leathan an tír í Éire, b'fhacthas dóibh!

An mhaidin dar gcionn ar éirí dhóibh, chonaiceadar ar fad an domhan úr a bhí tugtha dóibh. Tailte méithe na Mí, feirmeacha a bhí faoi dhó chomh mór leis na gabháltais a bhí acu thiar, talamh nár baineadh leas as ach mar thalamh féaraigh go dtí sin. Má bhí mí-bhuntáiste ag baint le seo, ní raibh sin le tabhairt faoi deara an mhaidin sin.

Domhan nua dáiríre a bhí ann dóibh an mhaidin Sathairn sin. Ba leo féin anois an cineál talún as ar díbríodh cuid dá sinsear, b'fhéidir, aimsir Chromail. Bhí orthu anois saol nua a chruthú iad féin agus sin a dhéanamh gan mórán cúnaimh as sin amach. Mar beagnach ón gcéad lá sin amach, tosaíodh ag déanamh faillí oifigiúil i gcoilíneacht Ráth Cairn agus ina muintir.

Do chuid de na daoine, b'fhéidir, is mó a d'oibrigh leis an scéim a chur i gcrích, b'é tús an chóilíneacht deireadh an scéil. Níl sé éasca anois tar éis 50 bliain a dhéanamh amach go cruinn cén áit baileach ina bhfuil tús an scéil. Ach ní móide gur as aon áit amháin nó ó aon

35

duine amháin a tháinig an smaoineamh ach ar bhealaí éagsúla agus ó dhaoine éagsúla. Agus ní call go raibh gach duine a chuidigh leis an smaoineamh a chur i gcrích ar a thaobh ón tús. Athraíonn daoine.

Bhí Bord na gCeantar gCúng, a bunaíodh sa mbliain 1891 agus a scoireadh agus ar cuireadh a chuid gnóthaí faoi Choimisiún na Talún sa mbliain 1923, thar a bheith gníomhach in iarthar na hÉireann. Bord an-mhaith a bhí ann a rinne obair fhónta agus nach bhfuil dóthain eolais anois ar chor ar bith ag an bpobal air. Bhí scéimeanna ag an mBord sin maidir le roinnt talún agus le tuille talamh a thabhairt do fheirmeoirí a raibh sin uathu. Ach go hiondúil, is gar dá gceantair féin a chuirtí daoine. Níor cuireadh, go bhfios dom, cóilíneachtaí áirithe ar bun na scórtha mílte ó cheantair baile na ndaoine a bhí i gceist.

Is fiú go maith Conradh na Talún agus Micheál Dáibhéid a thabhairt chun cuimhne nuair a deirtear a dhath faoin talamh in Éirinn le céad bliain anall. Ní ceart, ach an oiread, dearmad a dhéanamh ar Achtanna Talún George Wyndham agus ar na scéimeanna tábhachtacha trínar chaill na Tiarnaí Talún a seilbh, nach mór, ar thalamh na tíre seo. Rud an-mhór go deo in intinn an phobail ba ea an talamh agus gach ar bhain leis. D'fhéadfá a rá gurb é an chiall a bhí le saoirse na hÉireann ag cuid mhaith mhór den phobal go mbeadh roinnt talún chothrom sa tír, go dtiúrfaí an talamh a bhí leis an fhaid sin ag sliocht na bplandóirí do ghnáth mhuintir na hÉireann. Chuaigh an dá rud le chéile: Saoirse agus Talamh, Talamh agus Saoirse.

Agus ansin tháinig Éirí Amach na Cásca, 1916, Cogadh na Saoirse, Toghchán 1918 agus bunú Dháil Éireann na bliana, 1919. Tháinig an Sos Cogadh sa mbliain 1921, an Conradh agus bunú Shaor Stát Éireann.

Ach céard faoi thalamh do mhuintir Chonamara? Ní raibh rialtas Chumann na nGaedheal i bhfad in oifig nuair a bunaíodh Coimisiún na Gaeltachta faoi Chathaoirleacht an Ghinearáil Risteárd Ó Maolchatha. Scríobh Uachtarán Ard Chomhairle an tSaor Stáit, Liam T. Mac Cosgair, chuige:

> Is eol dúinn na nithe go léir a bhí ag marú na Gaeilge san am atá caite agus atá ag déanamh mórán fós, le neart leanúnachais, chun í a mharú: í a bheith dúnta amach as furmhór an tsaoil phoiblí 'as an gcúirt agus as an mbarra agus as gnó': í a bheith dúnta amach as furmhór mhór ár scoileanna le roinnt glún anuas; conas mar a tháinic sí faoi dhrochmheas

ag gach éinne gur mhaith leis meas a bheith air agus mar a tháinic sí chun
bheith ina comhartha dealúis agus iargúltachta in aigne a lán daoine.
Cuid de stair bhrónach ár dtíre an fhaillí a tugadh inti agus an
drochmheas a caitheadh uirthi, agus an tarcaisne agus an ghráin faoina
dtáinic sí . . . tá meas mór mar is ceart, ag muintir na hÉireann ar an
nGaeltacht, ar na ceantracha fánacha ina labhartar an Ghaeilge mar
theangain teaghlaigh, meas mar a bhíonn acu ar sheoid náisiúnta . . .
Beidh an pobal ag faire go géar ar obair agus ar thoradh an fhiosrúcháin
a dhéanfaidh sibh, agus ní miste a bheith ag brath orthu chun cuidiú le
h-aon phlean ciallmhar is féidir a chur i ngníomh chun an Ghaeilge do
chosaint mar theangain teaghlaigh agus chun saol eacnamaíochta na
ndaoine a labhrann í . . . do dhaingniú i bhfeabhas.

B'shin an Mhárta, 1925. Ar an 14 Iúil, 1926, shínigh na
Coimisinéirí a dtuairisc. I measc nithe eile moladh go gcuirfí
coilíneachtaí Gaeltachta ar bun i gContaethe áirithe, ina measc i
gContae na Mí. Bhí Coimisinéir amháin, an tAthair Seán Mac
Cuinneagáin, Cigire Dheoise Rátha Bhotha, i gcoinne an mholadh
ach bhí an chuid eile ar a thaobh.

Seo an chéad mholadh poiblí coilíneacht Gaeltachta a bhunú i
gContae na Mí dá bhfuil mise indon teacht air seachas focal fánach
i dTuairisc Choimisiúin Dudley sa mbliain 1907. Ach níor déanadh
a dhath. Ina áit, chuathas ag plé le scéim sheafóideach go leor i
Seana Phéistín, idir Ros a' Mhíl agus Uachtar Árd. Ní miste a lua ag
an bpointe seo go raibh an droch-mheas ar an nGaeilge a luaigh an
tUachtarán Mac Cosgair ina litir fós forleathan sa nGaeltacht agus
é á scríobh. Béarla a labhradh sagairt, múinteoirí, gardaí, dochtúir,
na 'Maithe Móra' ar fad, seachas fíorchorrdhuine díobh. Thugadar
siúd, a bhfurmhór mhór, le fios go soiléir gur bheag í a
n-aird ar an nGaeilge. Bhí eisceachta ann, múinteoirí ar nós
Mháirtín Uí Chadhain, Sheáin Uí Choistealbha, Sheosaimh Mhic
Mhathúna agus Chriostóir Mhic Aonghusa i gConamara. Bhí siad-
san ar fad tuairim is 25 nó 26 bliain d'aois, iad an-tógtha le tírghrá,
le Gaelú na tíre agus le hathghabháil na hÉireann do mhuintir na
hÉireann. Bhí cuid acu san IRA agus cuid eile in Fianna Fáil ach,
maidir le cúrsaí áirithe, iad féin agus daoine eile mar iad, ag obair as
lámh a chéile. Bunaíodh Cumann na Gaeltachta agus é mar aidhm
aige a chur i gcionn ar mhuintir Chonamara go raibh cearta móra
acu ach iad a lorg. Cumann é a thug misneach do dhaoine uair a
raibh sin go mór de dhíth orthu.

Thosaigh Criostóir Mac Aonghusa le cúnamh ó Sheosamh Mac
Mathúna ar an smaoineamh a chur chun cinn gur chóir talamh a bhí

i lár tíre agus a bhí le roinnt, b'fhéidir, a thabhairt do mhuintir na Gaeltachta. Tharraingíodar cruinnithe móra ina lán ionad i gConamara Theas agus labhair siad faoin talamh a bhí thoir agus faoi chearta an dream lena rabhadar ag labhairt. Cuireadh spéis ina gcuid cainte cé go raibh siopadóirí agus a leithéidí ag fonóid fúthu agus nár shíl Máirtín Ó Cadhain gur mhaith an smaoineamh é ar chor ar bith.

As Contae an Chláir do Sheosamh Mac Mathúna. Eisean a chuimhnigh ar iarraidh ar Theachta Dála sinsear an Chláir casadh le toscaireacht maidir leis an scéal. B'shin Éamonn de Valera a bhí um an dtaca seo ina Uachtarán ar Rialtas an tSaor Stáit in áit Liam T. Mhic Cosgair. Ar an 11ú lá de Shamhain, 1932, chuaigh ceathar, Mícheál Ó Loideáin as Roisín an Chalaidh in Iorras Aithneach, an tAthair Maitiú Ó Cionnaith, Sagart Paráiste Rosmuc, Seosamh Mac Mathúna, máistir scoile Leitir Mucadha agus Criostóir Mac Aonghusa, máistir scoile an Ghoirt Mhóir, chun cainte le Éamonn de Valera. Cuireadh neart ceisteanna orthu faoin gcaoi a raibh an pobal i ndeisceart Chonamara. Is i ndeireadh an chómhrá a tarraingíodh anuas ceist na talún i gContae na Mí. Arsa de Valera:

Táim-se sásta go dtiúrfaí talamh atá ag Coimisiún na Talún do mhuintir na Gaeltachta.

Ba thábhachtach an abairt í. Geallúint a bhí inti ó dhuine a bhí indon maith a dhéanamh dá ghealladh. Cúpla bliain ina dhiaidh sin labhair sé arís le toscairí de chuid na Gaeltachta ach ní dheachaigh sé thar an ngeallúint sin.

Lá stairiúil do mhuintir na Gaeltachta an 11ú lá de Shamhain 1932.

Go fios dom, agus tá roinnt taighde déanta agam air, níor chuir de Valera an scéal i gcead an rialtais riamh agus níor glacadh cinneadh rialtais maidir leis riamh. Beart pearsanta de chuid Uachtaráin Ardchomhairle an tSaor Stáit, Éamonn de Valera, a bhí ann sa deireadh thiar. Taispeánann sin mar a thaispeánann cuid mhaith nithe spéisiúla eile, an chumhacht ollmhór phearsanta a bhí aige agus an chaoi ar ghlac a chuid Airí san am gan cheist le rud ar bith a bheartódh sé a dhéanamh.

B'é an Seanadóir Seosamh Ó Conghaile as Béal Feirste an tAire Tailte agus is faoi-san agus faoi Choimisiún na Talún a fágadh an réiteach a dhéanamh. Bhí Eastát mór Uí Mheachair i Ráth Cairn i measc na nEastát nach raibh á n-oibriú agus a bhí ceannaithe ag an

*Máirtín Ó Cadhain.* (Léaráid: Mairéad Ní Nuadháin).

gCoimisiún. Blianta ina dhiaidh sin scríobh an Seanadóir Ó Conghaile a bheathaisnéis, an t-aon Aire de chuid Fhianna Fáil a rinne sin. Níl sé foilsithe ach tá cóip agam den scríbhinn. Ar seisean:

> We had grave anxiety as to how the new migrants would make out, how they would adapt themselves to the new conditions on the rich lands of Meath away from the hills and the seas of the Western seaboard and above all, how they would succeed in establishing good neighbourly relationship with the local people. There were difficulties in the beginning, but time and patience surmounted them and soon our new migrants began to show their appreciation of their new conditions by excellent results.

Ní luann an Conghaileach an mhoill a cuireadh ar an obair ó thug de Valera an gheallúint i mí na Samhna, 1932. Ach bhí an mhoill tugtha faoi deara thiar agus bhí aimhreas ag teacht ar dhaoine.

Foilsíodh geallúint de Valera go gairid tar éis dó í a thabhairt. Scathamh gearr ina dhiaidh sin tháinig athrú intinne ar shagart Ros Muc, an tAthair Maitiú Ó Cionnaith, faoin bhfeachtas. Faitíos a tháinig air go mbánófaí an pobal thiar! Dá bharr sin cuireadh amach as Cumann na Gaeltachta é agus chuir an raic a tharla dá bharr sin deireadh, nach mór, leis an gcumann.

Ach, um an dtaca seo, bhí a intinn athraithe ar an tslí eile ag Máirtín Ó Cadhain. Bhunaigh sé féin agus Seán Ó Coistealbha, a bhí ina mhúinteoir san am ar an Tulach agus ina dhiaidh sin ar feadh na mblianta i Ráth Cairn, eagraíocht úr, Muintir na Gaeltachta. Rinne an eagraíocht seo neart gníomhartha feiceálacha, drámatúla le spéis an phobail thiar a mhúscailt sa scéim. Eagraíodh turas mór feiceálach lucht rothar go Baile Átha Cliath agus go Teamhair na Rí le aird na hÉireann ar fad a tharraingt ar a raibh ó mhuintir an iarthair. Tugadh óráidí lasracha. Tugadh le fios don Rialtas go gcaithfí cur leis an ngeallúint a bhí tugtha. Casadh ar Uachtarán an Ard Chomhairle, Éamonn de Valera cuid acu agus dúirt seisean arís go mbeadh an scéal ina cheart.

Ansin thosaigh Teachtaí Dála de chuid Fhianna Fáil i gContae na Gaillimhe, go háirithe Gearóid Mac Phartholáin, ag caint faoin scéal. B'fhéidir go raibh polaiteoirí mall ag plé leis go dtí sin mar, ar ndóigh, chiallódh imeacht daoine cailleadh vótaí dóibh! Agus, tar éis tamaill eile, cuireadh póstaeraí oifigiúla in airde ag tabhairt eolais faoina mbeadh i gceist agus ag inseacht cá mbeadh tuilleadh eolais le fáil.

I Meitheamh na bliana, 1934, thosaigh páipéar nua seachtainiúil

# Cuspóirí "Muinntir na Gaedealtachta"

### an teanga.

" Níl ṡar ḋá ṡéanaḋ. Sé an béarla atá i n-uaċtar sa tír seo fós. . . .

" Má tá fúinn an tír a ṡaeḋealú, caitfear an béarla a ċur amaċ ṡlan-easṡarċa as saol na tíre. . .

" ṡo ḋtí ṡo mbí ċuile posta puiḃliḋe sa tír le fáil ṡan béarla, ní ḃeiḋ coċrom fáiṡte aṡ ṡaeḋilṡeoirí, aṡus ní ċreiḋfeamuiḋ naċ ḋallaċ ḋuḃ a ḃeiċ a' taḃairt ḋa ṗúnt ḋúinn as uċt an ṡaeḋilṡe a laḃairt sa mbaile, aṡus a' ċur faoi nḋeara ḋúinn béarla ● foṡluim sa sṡoil. . . .

" Ní ṁairfiḋ an ṡaeḋilṡe aṡus an béarla le ċéile, aċ an oireaḋ aṡus a ṁairfeaḋ cat aṡus luċ i mbosṡa."

# IARRATAS AR AISTRIU

Ainm an Tionónta.......................................... Seoladh......................

.........................

.........................

Dúithche.............................. O.I. Uimh................ Folio.......

Blianacht ⎫
   no      ⎬ ...........................................Luacháil faoi Dhlí na mBocht
  Cíos    ⎭

Méid an Ghabháltais.............................. Baile Fearainn...............

.........................

---

Iarraim leis seo ar Choimisiún Talmhan na hEireann mé aistriú go
dtí gabháltas nua i Ráth Carráin, i gContae na Midhe, agus má
thaithníonn an gabháltas sin liom tá mé toilteanach an gabháltas a
bhfuil a thuairisc tugtha agam thuas a thabhairt suas mar mhalairt
air do Choimisiún na Talmhan agus mé féin agus mo mhuirghín agus
a bhfuil agam d'aistriú go dtí an gabháltas nua.

Sighnithe.......................

Finné ·

Sighnithe..........................

---

## EOLAS I dTAOBH CÚRSAÍ AN IARRATASÓRA

Aois...../.............................. An bhfuil tú pósta ?..................

Muirghín (Ainmneacha agus aoiseanna)..............................

Maoin..............................................

Stoc..............................................

An í an Ghaedhilg gnáth-theanga na muirghíne ?

Cleachtadh ar Fheilméaracht (sa mbaile no i gceanntracha eile)..............

42

i mBaile Átha Cliath *An tÉireannach,* iris a bhunaigh Seán Beaumont, fear ar leith, scoláire paiteanta, sóisialach agus poblachtánach den scoth. Bhí an páipéar seo go tréan ar son mhuintir na Gaeltachta. Sa gcéad eagrán luadh gur thug Éamonn de Valera cuairt ar Chonamara an tseachtain roimhe sin le go bhfeicfeadh sé féin cé'n chóir a bhí ar na daoine. Bhí cur síos, freisin, sa gcéad eagrán sin ar an oiread talún is a bhí fós bán ar fud an stáit. I gContae na Mí féin dúradh go raibh 234,575 acra bán! Agus dúradh ann, freisin:

Tá go leor cainte dá dhéanamh faoi cheist na Gaeltachta ón gcéad lá a thosaigh gluaiseacht na Gaeilge go dtí an lá atá inniu ann; ach is cosúil go n-imíonn an chaint seo le gaoith mar ní mórán tairbhe a thagann as do mhuintir na Gaeltachta. Tá siad chomh bocht inniu agus níos boichte ná bhíodar an chéad lá.

Ar an Domhnach, an 19ú lá de Lúnasa, 1934, sé Máirtín Ó Cadhain a d'oscail Feis Iar-Chonnachta ar an gCeathrú Rua. Bhí slua ollmhór i láthair. Thug sé an-óráid ar a raibh tuairisc fhada ar *An tÉireannach.* I measc a lán nithe eile, dúirt sé an méid seo:

Níl muide, Muintir na Gaeltachta, sásta daoine ar leith a dhéanamh dínn ná Claí na Muice Duibhe ar bith a chur orainn le muid a sháinniú . . . Le na cianta ba é an dá mhar-a-chéile an Ghaeilge agus boichteanas. Níl mórán athruithe ar an scéal fós. Tá caint ar an tír seo a Ghaelú le dhá fhichead bliain. Ní raibh faill againn mórán a dhéanamh go bhfuaireamar roinnt saoirse timpeall dhá bhliain déag ó shoin.
    Bhí súil againn gurb é an chéad chuspóir a chuirfeadh rialtas dúchasach roimhe fuigheall Gael a fhuascailt ó mhallacht Chromail. Ba í súil Uí Dhubhda le Árd na Ríogh againn í . . . Tá feilméaraí i lár na tíre, lucht na mbulán agus an fhéaraigh, lucht na mbolg sáthach agus an ghreim bhuig, agus níl siad sásta an leas a cheap Dia dó a bhaint as taltaí míne méithe na tíre seo. Tá muidne sásta é dhéanamh. Dúradh linn nach bhfuil muid i ndon iad a oibriú, go gcosnódh sé an iomarca airgid muid a athrú suas iontu, go gcaillfeadh muid an Ghaeilge, go mbeadh fritholóid ann ón muintir thuas, agus leithscéil nach iad.
    Is furasta leith-scéal a fháil, nuair nach mbíonn fonn ar dhuine maith a dhéanamh dá ghealladh . . . An bhfuil muintir na Ceathrú Rua sásta cur ar shon a gcirt? Bhfuil muinín agaibh féin as a chéile? Bhfuil misneach agaibh tabhairt faoi thalamh bhur sinsear a bhaint amach? . . . Táimíd fada go leor ag súil le muir, agus níor thainic 'long an óir' fós. Cáide eile a fhanfas an capall beo go bhfagha sí an féar atá geallta di? An go Seana-Phéistín nó go taltaí méithe na Mí a rachas sibh?

Oifigí Mhuintir na Gaeltachta i gConamara ó chlé, Máirtín Ó Cadhain, Stiúrthóir, Seán Seoighe, Camus, Máirtín Ó Cofaigh, Leitir Móir, Micheál Ó Flatharta, An Cheathrú Rua, Colm Ó Flatharta, An Tulach, Seosamh Ó Finneadha, An Cnoc, Micheál Ó Loideáin, An Spidéal agus Seán Ó Coisdealbha, Rúnaí agus Tímire.

Tugadh aird as cuimse ar an óráid sin. Tamall sul ar tugadh í bhí Gearóid Mac Phartholáin agus Criostóir Mac Aonghusa tar éis dul chun cainte ina oifig leis an Seanadóir Ó Conghaile, an tAire Tailte, faoin moill a brathadh a bhí á chur ar an scéim. Bhí geallúintí faighte acu nach mbeadh a thuilleadh moille á dhéanamh agus eolas tugtha dóibh gur ina dtrí dhream a rachfaí soir. Seans maith gur chuir óráid an Chadhnaigh tuilleadh deifir leis an obair. Mar a dúras i dtosach báire, bhí dhá eagraíocht i gceist maidir leis an obair seo ar fad, Fianna Fáil agus an IRA. San IRA a bhí Máirtín Ó Cadhain, i bhFianna Fáil a bhí Criostóir Mac Aonghusa. Ach bhíodar thar a bheith mór le chéile.

Ar ndóigh, bhí brúnna eile ar pholaiteoirí agus ar oifigigh Choimisiún na Talún, brúnna as Contae na Mí féin. Ní hé gach duine ansiúd a shíl gur mhaith an beart é dream as Conamara a thabhairt aniar agus cuid de thalamh na Mí a roinnt orthu!

Ach, de réir a chéile, roghnaíodh a raibh le feirmeacha a fháil i Ráth Cairn agus roghnaíodh freisin cé a gheofadh an talamh a bhí siad a thabhairt uathu i gConamara.

Bhí tuairim is 200 fear as an Mí ag obair ar thógáil tithe Ráth Cairn agus ar réiteach na talún ins na míosa roimhe sin. Tuairim is 588 acra a fuair an 27 dteaghlach a tháinig go Ráth Cairn agus £1,411 an teaghlach a chosain an scéim ar fad. Bhí acra cruithneachta an teaghlach curtha cheana féin don chéad 11 teaghlach a tháinig. Seo an méid is mó a tugadh d'aon teaghlach:

3 bhó bhainne; 2 bhodóig; 2 chaora; cráin mhuice; 2 bhanbh; 21 cearc; capall agus cairt; asal agus cairt; céachta; srathar capaill; 2 bharra rotha; barra móna; uirlisí déiríochta agus uirlisí treafa agus uirlisí nach iad; díol seachtaine d'earraí grósaera agus díol bliana de mhóin. Ina theannta sin bhí £1.10.0 sa tseachtain le n-íoc le gach muirín ar feadh bliana — £78.0.0. ar fad.

Le luach an airgid a thuiscint is fiú a lua go raibh culaith fir le fáil ar £2.10.0.; péire maith bróga fir ar 12/6; culaith ghlas chaorach do bhuachaill ar 6/11 agus *overall* gorm fir ar 1/11. Bhí gluaisteán nua Chrysler 6-shorcóir le fáil ar £275.0.0.

Is spéisiúil an ní é nach ndearna an Eaglais Chaitliceach iarracht ar leith chun freastal ar an bpobal mór Gaeilgeoirí a tháinig aniar. Bhí áit fágtha ag Coimisiún na Talún le séipéal a thógáil. Ach ní dheachaigh Easpag na Mí sách dúrachtach i mbun oibre agus bhí ar an bpobal nua seo freastal ar Eaglais inar déanadh an obair i

*Ag tabhairt cuairt ar Chraobh Mhoibhí de Chonradh na Gaeilge sa mbliain 1935.*

mBéarla, seachas léamh an Aifrinn féin a bhí i Laidin. Tá a lán a chuireann an milleán ar shagart paráiste Áth Buí; bhí an ghráin aige ar de Valera! Is cinnte dá mba coilíneacht lucht labhartha Gearmáinise, nó Ioruaise, nó Iodáilise nó Spáinnise a bheadh iontu nach mar seo a chaithfeadh an Eaglais Chaitliceach Rómhánach leo. Gheofaí sagart dóibh a labharfadh a dteanga féin agus thógfaí séipéal, dá laghad é, ar an láthair a tugadh in aisce chun sin a dhéanamh.

Bhí an áit gan scoil Ghaeilge ar feadh tamaill ach réitíodh an fhadhb sin agus tá cáil mhór ar an scoil a bunaíodh ann. Ach go dtí gur tógadh an tÁras Pobail atá ann anois ní raibh croí nó lár-ionad ar bith ag muintir Ráth Cairn agus ba laige mar dhream iad dá uireasa. Ní iontas ar bith go dtáinig lag-mhisneach ar an bpobal ins na ceathaireachadaí agus ins na caogadaí.

Ach an chéad Domhnach a rabhadar i gContae na Mí cuireadh Fáilte Uí Cheallaigh rompu in Áth Buí — nó Fáilte Uí Ghramhnaigh, ba chóir a rá: ná déantar dearmad go mba as Áth Buí don Athair Eoghan Ó Gramhnaigh, cranntaca mór na Gaeilge agus duine de na sagairt is mó riamh a d'oibrigh ar a son.

Eagraíocht ar a raibh Fianna Uí Ghramhnaigh agus arbh é Pilib Ó Néill a bhí ina bhun a d'eagraigh an fháilte bhreá Domhnaigh úd. Bhí iománaíocht ann idir bhuachaillí Ráth Cairn agus buachaillí as Coláiste Naomh Seosamh i gCluain Dolcáin, coirm cheoil agus sraith óráidí moltacha ó Philib Ó Néill, Peadar Ó Máille agus Giolla Chríost Ó Broin.

Níl léamh ná inseacht scéil ar an stairsheanchas a bhí ins na hóráidí sin. Is cinnte nár chuala muintir Chonamara an oiread sin moladh orthu féin riamh roimhe, nó ina dhiaidh sin.

Go deimhin roinnt míonna ina dhiaidh sin, fáilte de chineál eile a frítheadh nuair a caitheadh urchair isteach in dhá theach nach raibh tógtha ar fad. Bhí súil le 11 teaghlach eile roimh an Nollaig. Agus bhí focail faire den chineál seo scríofa ar bhallaí: 'WARNING: No More Migrants Allowed Here' agus 'This Land is Not For Connemara People. It is for Meath Men'.

Bhí feachtas binibeach go leor ina gcoinne agus thug polaiteoirí áirithe an-tacaíocht don fheachtas sin. An té is mó a ceapadh a bheith in aghaidh mhuintir na Gaeltachta an Caiptín Giles, Teachta Dála de chuid Fine Gael. Labhair sé ina gcoinne taobh istigh agus taobh amuigh den Dáil arís agus arís eile. Óráidí den chineál seo a thug sé ag an Sean-Chaisleán i mí Bealtaine, 1937:

Keep the stranger out until you are satisfied. The people in the
Gaeltacht are supposed to be the purest men in the world. The people
of Meath are as good as they are. They are the people who stood in the
bogs and hillsides and defied Cromwell to put them out. These colonists
will be English-speaking in five years.

Ach ní mar sin a tharla in ainneoin an fhaillí mhóir a rinne na
húdaráis i muintir Ráth Cairn ar feadh na mblianta tar éis dóibh
teacht ansin. Níor tugadh aitheantas mar Ghaeltacht do Ghaeltacht
na Mí nó go ndearna Pádraig Ó Fachtna sin le linn dó a bheith ina
Aire Gaeltachta i Meán Fómhair, 1967. B'éigean an-bhrú a chur ar
an rialtas leis an aitheantas seo a bhaint amach, aitheantas ba chóir
a bheith tugtha sa mbliain 1935.

Rinne Conradh na Gaeilge agus craobh Ráth Cairn den
Chonradh an-obair maidir leis an mbrú faoin aitheantas seo agus,
spéisiúil go leor, bhí Máirtín Ó Cadhain agus Criostóir Mac
Aonghusa arís páirteach san obair mar a bhí siad freisin sa
bhfeachtas stairiúil maidir le Aifreann i nGaeilge a chur ar fáil do
mhuintir na háite.

Dála an scéil, dhá bhliain tar éis teacht an 27 dteaghlach go Ráth
Cairn, tháinig 13 theaghlach as Conamara go Cill Bhríde, agus sa
mbliain 1937, freisin, tháinig leathchéad teaghlach as Muigheo,
Ciarraí, Tír Chonaill agus Corcaigh go Baile Ghib. Ach sin scéalta
eile ar fad a mbeidh trácht orthu amach anseo.

Má tá duine amháin ar leith gur cheart é a lua maidir le dul chun
cinn Ráth Cairn le roinnt mhaith blianta anall sin é Pádraig Mac
Donncha. Rugadh ann é; tháinig a mhuintir aniar; as Ciarraí a
bhean chéile agus táid ag tógáil a gclann i Ráth Cairn. Gaiscíoch an
fear óg seo a thug cinnireacht don áit nuair nach raibh cúrsaí go
maith. Feictear domsa go raibh tráth ann nuair a bhí lagmhisneach
le tabhairt faoi deara go soiléir i Ráth Cairn. Ach tháinig aiséirí agus
bhí baint nach beag ag Pádraig Mac Donncha leis.

Thar cionn a d'éirigh le Ráth Cairn ar a lán bealach. Ach níor
bunaíodh cóilíneachtaí eile dá leithéid. Tuige? I dtuairisc de chuid
Choimisiún na Talún sa mbliain 1952 dúradh:

. . . it has not been found practicable to establish further Gaeltacht
colonies as suitable lands in sufficiently large blocks have not been
procurable.

An í siúd lomchlár na fírinne? Nó an amhlaidh gur éirigh le
dreamanna brú a chinntiú nach gcuirfí aon chóilíneacht mhór

Gaeltachta ar bun arís go deo? Tá i bhfad níos mó námhad cumhachtach ag an nGaeilge agus ag muintir na Gaeltachta ná mar a cheaptar agus is lú agus is laige cairde na Gaeilge agus na Gaeltachta ná mar a síltear.

Ach tá muintir Ráth Cairn ann fós — muintir Chonaire, Sheoighe, Churraoin, Chatháin, Chofaigh, Shúilleabháin, Mhic Dhonnchadha, Mhic Chraith, Chonghaile, Lupáin, Ghríofa, de Bhailís, Bháille, Chualáin agus Mhic Lochlainn: sheasadar siúd ar fad an fód.

*Fir oibre na Mí ag réiteach Ráth Cairn do mhuintir Chonamara.*

1. Leitir Móir
2. Leitir Caladh
3. Inis Treabhair
4. Inis Bearachain
5. Eanach Mheáin
6. An Caorán Beag
7. Cladhnach
8. An Cheathrú Rua Thuaidh
9. An Cnoc
10. An Máimín
11. Tír an Fhia

*Ceantar na nOileán agus An Cheathrú Rua. Bailte as ar imigh teaghlaigh go Ráth Cairn sa mbliain 1935.*

## 3. Micheál Ó Conghaile
*Scríbhneoir agus iarchéimí staire in Ollscoil na Gaillimhe*

# An imirce agus na teaghlaigh

Ba ar an dara lá déag d'Aibreán 1935 a d'fhág an chéad set acu Conamara. Trí dhuine is ochtó a d'aistrigh an lá stairiúil úd, aon chlann déag ar fad. Cladóirí as Ceantar na nOileán ab ea an chuid ba mhó acu; deichniúr de mhuintir Chonghaile as Inis Treabhair, triúr de mhuintir Mhic Dhonnchadha as Inis Bearachain, ceathrar de mhuintir Lupáin as Eanach Mheáin, dhá dhuine dhéag de mhuintir Chonaire as an Máimín, ceathrar de mhuintir Sheoighe as Baile na Cille, seisear de mhuintir Chofaigh as Leitir Móir, dhá dhuine dhéag de mhuintir Churraoin ón Trá Bháin, cheithre dhuine dhéag de mhuintir Chatháin as an Máimín, chomh maith le dhá chomhluadar ón gCaorán Beag ar an gCeathrú Rua, cúigear de mhuintir Shúilleabháin agus seisear de chlann Mhic Dhonnchadha.[1]

Ghéill siad a raibh acu ariamh anall idir thalamh agus trá agus thug a n-aghaidh soir ar thrí bhus le Comhlucht Busanna Éireann.[2] Cé go raibh Ráth Cairn feicthe ag cuid acu cheana féin is cinnte nár thuig cuid mhaith acu cá raibh siad ag dul dáiríre, ainneoin a raibh

1. *Migrants from Co. Galway to Estates of Mrs. M. Heffernan and Mrs. V. Fessler.* Aibreán 1935. Oifig na gCuntas, Coimisiún na Talún, Baile Átha Cliath.
2. Proinsias Mac Aonghusa, *Ráth Cairn — Gaeltacht Dáiríre*, lch. 2. Léacht a tugadh san Áras Pobail, Ráth Cairn, 13 Aibreán 1985. Níl foilsithe. Táim an-bhuíoch de Phroinsias as ucht cead a thabhairt dom lán úsáid a bhaint as a léacht.

cloiste acu faoi Chontae na Mí le tamall roimhe sin. Níor fhág an chuid is mó acu an baile ariamh cheana.

Ba ar an gcéad lá de mhí an Mheithimh a d'fhág an dara dream; comhluadar de mhuintir Ghríofa agus de mhuintir Churraoin as Tír an Fhia, na Báille as Leitir Móir, na Seoighe ón gCnoc, Leitir Mealláin agus clann de mhuintir De Bhailís ón gCeathrú Rua.

Roimh dheireadh na bliana bhí an tríú slua bailithe leo go Ráth Cairn. Ghéilleadar a gcuid talún sa mbaile ar an 11ú lá de mhí na Nollag agus cosúil leis an gcéad set a d'aistrigh ba aon chlann déag a d'imigh an babhta seo freisin, na Cualáin as Leitir Móir, na Catháin, na Gríofa, agus muintir Mhic Dhonnchadha as Tír an Fhia, muintir Lochlainn agus teaghlach de mhuintir Mhic Dhonnchadha as an Máimín, dhá theaghlach de mhuintir Mhic Dhonnchadha as Cladhnach agus teaghlach eile fós den sloinne céanna ón gCeathrú Rua. Chomh maith leo sin d'fhág dhá chomhluadar eile, muintir Chofaigh agus muintir Sheoighe, nach raibh aon talamh sa mbaile acu beag ná mór.

B'shin an t-iomlán mar sin de na daoine a d'fhág leathchéad bliain ó shin. Seacht gclann is fiche ar fad nó 182 dhuine.[3] Ba dhá dtoil féin a d'imigh siad ar ndóigh agus is fiú a lua go raibh fonn ar chuid mhaith daoine eile nach iad imeacht freisin dá mbeadh feilmeacha le fáil acu i gContae na Mí.

Ba imirce a bhí i gceist leis an aistriú seo go Ráth Cairn. Ní gá a rá go deimhin go raibh seanchleachtadh ag muintir Chonamara ar an imirce. Sna blianta úd is beag clann in aon pharóiste nach raibh slad déanta uirthi ag an imirce, go háirithe ag imirce go Meiriceá. Ní amháin sin ach bhí meas ag na daoine ar an imirce. Thuig siad go raibh seansanna le fáil i Meiriceá nach mbeadh le fáil choíchin sa mbaile, áit nach raibh le feiceáil ach obair agus sclábhaíocht agus fíor bheagán airgid. Mar gheall ar seo, ghlac na daoine i gcoitinne leis an imirce mar ghnáthchuid dá saol agus dá bharr bhí a ndearcadh agus a n-intinn múnlaithe i dtreo na himirce. Ba litreacha le stampaí agus seiceanna Mheiriceá a chéadchonaic na gasúir bheaga agus ba seanchas agus comhrá faoi bhailte móra Mheiriceá a bhíodh le cloisteáil acu óna seandaoine agus iad fós sna cliabháin. Go deimhin ba mhó go mór fada an t-eolas agus b'fhéidir an tuiscint a bhí ag cuid mhaith de na daoine ar Bhoston, Chicago nó New York ná mar a bhí acu ar bhaile mór na Gaillimhe, ar chathair Bhleá Cliath ní áirím Contae na Mí ná Ráth Cairn. Is léir mar sin

3. Oifig na gCuntas, Coimisiún na Talún.

Particulars of Old Holdings surrendered on 15th April 1936 | New Holding | OLD HOLDING

| Name | Estate and Rec. No. | Townland | Rental No. | Plot No. | Townland | Area | Occupn Int. | AREA SURRENDERED A | R | P |
|---|---|---|---|---|---|---|---|---|---|---|
| 1 | 2 | 3 | 4 | 5 | 6 | 7 | | | | |
| Michael Conroy Joyce Turner | C.D.B. 138 | Maumeen | 143 v 146 | 16, 16A | Bathcarran | 24.0.26 | 54 | 10 | 1 | 1 |
| Bridget Joyce (w/n) | do. | do. | 95(pt)18,18A | 18,18A | do. | 22.1.6 | 51 | 10 | 1 | 1 |
| Kate Curran | do. | Teerence | 274 | 19,19A | Drishoge | 23.1.5 | 50 | 12 | 1 | 1 |
| Coleman Keane | do. | Maumeen | 139 | 20,21A | Bathcarran | 23.2.20 | 50 | 9 | 2 | 1 |
| John Coffey | do. | Lettermore Illaunform | 73 | 26 | do. | 21.2.10 | 49 | 11 | 0 | 10 |
| Bartley Sullivan Berridge | C.D.B.95 | Keeraunbeg | 291 | 27 | do. | 21.1.15 | 53 | 11 | 0 | 2 |
| James McDonagh Joyce Turner | 138 | Inishbarra | 187(pt) | 28 | do. | 22.1.15 | 46 | 10 | 0 | 0 |
| Bt. McDonagh (w/n) Berridge | C.D.B.95 | Keeraunbeg | 291.8 | 29 | do. | 21.1.30 | 41 | 6 | 6 | 0 |
| Michael McGrath | do. | Lettereallon | 379 | 30 | do. | 20.2.20 | 48 | 12 | 0 | 0 |
| Patrick Connelly | do. | Inishtravin | 549(pt) | 31 | do. | 20.2.25 | 47 | 14 | 0 | 0 |
| Bartley Delap Joyce Turner | C.D.B. 138 | Annaghvaan | 14 | 32 | do. | 21.1.10 | 22 | 10 | 0 | 0 |

Sonraí i dtaobh na chéad teaghlach a d'aistrigh.

53

chomh neamhghnách neamhchoitianta a bhí sé dul soir nuair a bhí aghaidh na ndaoine siar de réir a nádúir. Cén t-iontas dá bhrí sin go raibh daoine ann a deir nach mairfidís seachtain thoir ann, nach raibh duine ar bith thoir a bhain leo, nach raibh fhios acu cá raibh siad ag dul, nár thuig siad i gceart cén cineál saoil a bheadh rompu.

De ghnáth baineann agus bhain an imirce le daoine óga, daoine singil, go minic i dtús a saoil. Daoine atá aiclí scafánta agus misneach acu tabhairt faoin saol, daoine a imíonn thar sáile agus é ar intinn acu lab airgid a dhéanamh, theacht abhaile ansin agus socrú síos. An lá a mbeadh duine den chineál sin ag imeacht bheadh sé ag caint ar an lá a mbeadh sé ag filleadh ag súil le go dtiocfadh an lá sin taobh istigh de chúpla bliain. D'fhágfadh óganach mar seo athair agus máthair agus an chuid eile den chlann sa mbaile. Bheadh sé ag scríobh abhaile, ag seoladh airgid abhaile, b'fhéidir, agus bheadh a bhaile mar bhaile aige agus é ar deoraíocht.

Sin mar a bhíonn an imirce de ghnáth ach ba mhór idir an cineál sin imirce agus an imirce go Ráth Cairn. Na daoine a d'imigh go Ráth Cairn bhí siad ag géilleadh a raibh acu sa mbaile le fada an lá agus ag imeacht fad a mhairfidís más fada nó gearr é. Ar bhealach amháin bhí siad ag fáil bháis sa mhéid is go raibh siad ag cur deiridh leis an seansaol, leis an seandúchas agus dá n-oiliúint féin le saol nua a thosú, saol a bhí éagsúil amach is amach leis an saol a bhí acu.

Níl sé éasca ag aonduine aistriú den chineál sin a dhéanamh, fiú an duine óg; is é sin an gad deiridh a scaoileadh lena cheantar dúchais, glacadh leis nach mbeidh sé ag filleadh agus a sheolta a ardú go dúiche éigin eile. Ach sin é go díreach a rinne na himirceoirí i 1935. An rud suntasach agus difriúil a bhain le dhul go Ráth Cairn gur bhain an imirce seo le clanna iomlána agus ní leis an óige amháin. Bhí ar na seandaoine agus ar na gasúir imeacht freisin mar bhí iallach ar na daoine a bhí ag aistriú an talamh a bhí acu sa mbaile a ghéilleadh ionas go bhféadfaí é a roinnt idir na comharsana. Ciallaíonn sé seo go raibh ar go leor seandaoine saol nua a thosú. Ní bréag a rá mar sin go ndeachaigh siadsan go Ráth Cairn le bás a fháil. Tar éis an tsaoil agus an bhochtanais a bhí sa mbaile bhí na seandaoine seo ag an aois ina rabhadar i ndiaidh an láimh in uachtar a fháil ar an sclábhaíocht agus tar éis slí bheatha a bhaint amach san áit ina raibh siad. Dá bhrí sin is cinnte nach dream iad a bheadh ar bís le imeacht ón mbaile an tráth seo dá saol. B'fhearr leo go mór fada suaimhneas a bheith acu sna cúpla bliain a bhí fágtha dá saol agus a scíth a ligean in áit aistriú. Spreag sé seo aighnis scaití idir iad féin agus an ghlúin a bhí níos óige.

*Ráth Cairn: Imirce agus Teaghlaigh*

D'imigh 182 dhuine ar fad i 1935. Bhí 55 dhuine acu sin os cionn leathchéad bliain d'aois agus de na daoine sin bhí trí dhuine is fiche os cionn 65 bliana d'aois.[4]Seandaoine a bhí iontu. B'é Beairtle Ó Curraoin ón Trá Bháin an duine ba shine a bhí orthu. Bhí seisean 82 bhliain d'aois. Bhí a chroí briste an mhaidin úd ar fhág sé agus is maith a thuig sé nach bhfeicfeadh sé an Trá Bháin go deo aríst. Bhí sé beagnach 82 bhliain níos sine ná an duine ab óige a d'imigh; páiste óg le Peadar Mac Donnchadha as Cladhnach nach raibh ach trí mhí d'aois. Maidir leis na gasúir ar fad a d'imigh bhí 42 díobh faoi bhun 10 mbliana d'aois agus bhí aon dhuine dhéag acu sin nach raibh in aois scoile fiú.[5]

Feiceann muid mar sin an éagsúlacht aoise a bhain leis na himirceoirí seo. Ní hé amháin go raibh daoine ina measc a bhí óg agus meánaosta ach freisin bhí páistí an-óga agus gasúir chomh maith le seanphinsinéirí.

Bhain an imirce seo go Ráth Cairn mar sin leis an gclann go hiomlán idir óg agus aosta. Bheadh ar an scéal bheith amhlaidh má bhí buntáiste le fáil ag chuile dhuine, mar ní le cuidiú leis na himirceoirí amháin a bhí an scéim seo leagtha amach ach freisin leis na daoine eile a bhí láimh leo sa mbaile. Chiallaigh sé seo go raibh ar na seandaoine; na daoine a raibh an talamh ina n-ainm de ghnáth, an tseilbh sin a ghéilleadh go hiomlán agus bailiú leo leis an gcuid eile den chlann. Ní raibh seans ag aon chlann óg gabháltas a fháil i Ráth Cairn mura mbeadh na haithreacha, má bhí siad beo, sásta leis an socrú seo agus sásta imeacht leis an gclann freisin. B'é an toradh a bhí ar seo ná go raibh suas le 25 ghabháltas, iad ar fad idir 5 acra agus 20 acra talún, fiú más drochthalamh féin a bhí iontu, fágtha le roinnt ar na daoine a bhí fanta. Ghéill na teaghlaigh a d'imigh 286 acra talún san iomlán, talamh a thug seans do Choimisiún na Talún atheagar a dhéanamh ar ghabháltais na ndaoine a d'fhan. Mar gheall ar an socrú seo bhí tuilleadh talún le fáil ag suas le 100 clann ar fad sna ceantair ónar imigh daoine.[6]

Luaigh muid cheana gur imigh 27 gclann ar fad i 1935. Ar ndóigh,

4. Táim buíoch de Phádraig Mac Donncha a chuir na staitisticí seo ar fáil dom.
5. *List of persons migrated from the Gaeltacht to Rathcarron, Co. Meath, and numbers and ages of their children.* Oifig na gCuntas, Coimisiún na Talún.
6. Bríd Kennedy, *Ráth Cairn: Colony Migration of Speakers of Irish to Co. Meath.* Tráchtas B.A., 1968. Roinn na Tíreolaíochta, U.C.D. lgh. 4-8.

| Migrant | Sons | Ages | Daughters | Ages |
|---|---|---|---|---|
| Margret McDonagh | 4 | 26,24,20,18 | 1 | 22 |
| Bartley Sullivan | 3 | 31,27,19 | 2 | 20,16 |
| Patrick Wallace | 5 | 23,22,18,10,6 | 4 | 19,14,9,5 |
| Michael McGrath | 2 | 27,20 | 4 | 26,22,19,16 |
| John Coffey | 3 | 23,21,18 | 1 | 24 |
| Coleman Bailey | 4 | 28,19,17,13 | 3 | 24,20,14 |
| Bartley Delap | 2 { 1 grandson | 31,29 2 | - | - |
| Michael Conroy | 4 | 23,19,16,13 | 2 | 27,18 |
| Coleman Keane | 5 | 25,19,16,14,11 | 7 | 22,13,12,7,6,5,4 |
| James McDonagh | 4 | 19,17,14,11 | 2 | 18,9 |
| Margaret Joyce | 4 | 29,21,18,10 | 2 | 25,14 |
| Michael Griffin | 6/23,21,19,16,14,5 | | 1 | 10 |
| Patrick Curran | 5 | 16,13,10,7,3 | 1 | 17 |
| Bartley Curran | 3 | 45,41,31 | - | |
| Bridget Joyce (Peter) | 2 | 37,29 | 1 | 31 |
| Pat Conneely | 3 | 23,19,15 | 5 | 20,17,15,10,6 |
| Thomas McDonagh | 6/23,22,21,19,16,6 | | 5 | 24,20,18,14,13 |
| Patk. Folan | 5 | 17,14,9,8,5 | 6 | 16,15,13,12,11,10 |
| Michael McDonagh | 4 | 16,14,12,10 | 1 | 4 |
| John Griffin | 1 | 25 | 3 | 22,13,11 |
| Jas.Keane (Michael) | 3 | 13,12,8 | 3 | 9,4,2 |
| Michael Folan | 6 | 14,13,6,5,2½,2¼ | 4 | 12,10,8,4 |
| Michael O'Loughlin (Darby) | 4 | 18,15,13,11 | 1 | 19 |
| Peter McDonagh | 8 | 17,16,14,9,7,4,3,2. | 3 | 12,6,3 mths |
| John McDonagh | 6 | 18,16,14,12,10,& 4 mths | 6 | 21,19,9,8, 7,& 2½ yrs |
| Edward McDonagh | I | 20 | I | 11 |
| Michael McDonagh | 4 | 12,10,5,2 | 1 | 8 |

*Liosta de na daoine a d'aistrigh mar aon le aoiseanna a gcuid gasúr.*

56

bhí iarratais istigh ag i bhfad níos mó comhluadair ná sin. Bhí cigirí ar nós Máire Ní Mhongáin agus Seán Breathnach ag dul timpeall. Cuireadh fógraí amach faoin scéim agus bailíodh ainmneacha. De réir a chéile piocadh amach na clanna éagsúla a mbeadh talamh le fáil acu i gContae na Mí. B'éigean roghnú a dhéanamh i measc na ndaoine ar fad a sheol iarratais isteach. Tugadh tús áite do na clanna móra le go rachadh an scéim chun leasa an líon daoine ba mhó ab fhéidir. Ní haon ionadh mar sin gur teaghlaigh móra a piocadh go ginearálta. D'aistrigh dhá chlann ina raibh dhá ghasúr déag agus de na clanna ar fad a d'imigh bhí ar an méan seachtar i ngach clann. Gné eile a bhain leis na comhluadair a d'imigh ná go raibh sé léirithe acu go raibh siad in ann obair chrua a dhéanamh, rud a bhí déanta acu ar na gabháltais a bhí acu. Is daoine den chineál seo a bheadh ag teastáil i gContae na Mí. Chomh maith leis sin piocadh daoine a bhí ina gcairde agus ina gcomharsana maithe ag a chéile sa mbaile chomh fada agus ab fhéidir le go mbeadh an t-aontas agus an dea-thoil chéanna eatarthu i Ráth Cairn.[7]

Bíonn sé deacair i gcónaí scaradh leis an bhfód dúchais agus ní gá a rá go raibh cumha mór ar mhuintir Ráth Cairn nuair a d'imigh siad agus go deimhin go cheann fada ina dhiaidh sin ar chuid mhaith acu. Le seachtainí roimhe sin ní raibh i mbéal na ndaoine ach é, daoine ag rá go mba seafóid imeacht, nach mbeadh fhios cén cineál daoine a bheadh thuas ansin agus daoine eile ag rá gurbh iontach an seans é.

B'í an tseachtain dheiridh ba mheasa agus ba uaigní do na daoine a d'imigh.[8] B'shin é an uair a thosaigh daoine ag fágáil slán ag a chéile, ag dul isteach is amach sna tithe ag a chéile ag moladh agus ag cur comhairle ar a chéile. Díreach ag an am céanna bhí pacáil agus stócáil le déanamh i gcomhair an bhóthair. Bhí ar na daoine a bhí ag imeacht a raibh d'ainmhithe acu a dhíol; bhí suas le deich mbeithíoch fiú ag cuid acu chomh maith le caoirigh. Dhíol siad freisin chuile rud eile a bhí acu seachas troscán an tí. Ach thug cuid de na daoine plandaí agus gadhair leo, áfach, agus fiú cúpla asal.

Ba chosúil le Tórramh Meiriceánach é an oíche sul ar fhágadar an baile. Bhí *time*anna ina lán tithe, *time*anna a lean ar aghaidh ó thráthnóna Déardaoin go dtí go dtáinig na busanna agus na leoraithe as Gaillimh roimh ghealadh an lae ar an Aoine, le iad a thabhairt chun bealaigh. Bhí sé ina cheol, ina amhrán agus ina

---

7. Ibid., lch. 3.
8. Stiofán Seoighe ar an gclár *Ráth Cairn Caoga*, Raidió na Gaeltachta, 13 Aibreán 1985.

*Radharc as Ceantar na nOileán an mhaidin ar imigh na chéad teaghlaigh.*

dhamhsa go maidin, daoine óga an-chainteach faoin saol nua a bheadh acu, uaigneas agus cumha níos mó ar na daoine a bhí níos sine. Cuid den dream seo a bhí ag imeacht ní dheachaigh níos fuide soir ná Gaillimh ariamh ina saol roimhe sin agus bhí roinnt acu nach ndeachaigh an fhad sin féin.

Ba imeacht gan filleadh a bhí sa scaradh leis an mbaile mar sin. Briseadh glan a bhí ann leis an dúchas agus leis an seanáit. B'éigin do gach clann slán a fhágáil ag na tithe beaga cónaithe a bhí acu, na tithe inar tógadh iad féin agus go minic a sinsir rompu. Arís go deo ní bhaileoidís timpeall na tine céanna le oíche seanchais bheith acu nó leis an bpaidrín a rá. B'é a dtinteán féin a d'fhág gach clann ina ndiaidh. An séipéal, an tAifreann, an tráthnóna Domhnaigh mar a bhíodh sa mbaile, bhí deireadh leo sin freisin, mar bhí leis na cuairteanna chuig na reiligeacha áit ina raibh cnámha a seacht sinsir is a gcairde ina luí faoin bhfód. As seo amach ní bheadh sé éasca ag deartháir ná deirfiúr, athair ná máthair dul ar a nglúine ar leacracha na reilige mar a raibh a muintir agus a ngaolta curtha le paidir a chur lena n-anam.

Ní gá a rá go raibh sé ina chaoineadh uaigneach an mhaidin úd ar fhág siad, idir an dream a bhí ag imeacht agus an dream a bhí ag fanacht. Cibé rud a tharlódh amach anseo ba bhriseadh mór idir daoine a bhí ann agus thuig na daoine an méid sin go maith, díreach mar a thuig siad, go háirithe na seandaoine nach bhfeicfidís a mbaile go deo arís. B'shin iad na cuimhní a bhí ina n-aigne agus iad ag smaoineamh ar na comharsana saoil a bhí taobh leo, ar na háiteacha a mbídís le chéile, is ar na feilmeacha beaga a bhí acu.

Bhí luí ariamh ag muintir na hÉireann leis an talamh. D'íoc siad go daor as aríst is aríst eile aniar trí stair a gcine agus is féidir an rud céanna a rá faoi mhuintir Chonamara. Agus nuair atá talamh ag duine, fiú más talamh bocht féin é, is féidir a rá go bhfuil seilbh phearsanta ag duine, seilbh nach le éinne eile agus nach féidir a ghoid ná a bhaint amach le láimh láidir. Is luachmhaire go mór aríst talamh a bheith ag duine más talamh atá ann a tháinig ón tseanmhuintir anuas ó ghlúin go glúin den sloinne céanna agus gach glúin acu ag fágáil a ainm agus a lorg féin air le claí anseo, leacht ansiúd, nó clais in áit éigin eile, agus chuile ghlúin acu ag cur a bhfeabhas féin ar an ngabháltas. Bíonn sé an-deacair seilbh mar sin a ghéilleadh do chomharsana agus cairde dá fheabhas, fiú má tá talamh i bhfad níos fearr le fáil in áit eicínt eile. Ach bhí ar mhuintir Ráth Cairn an géilleadh sin a dhéanamh thiar, rud a bhí deacair, agus iad féin a dhealú amach óna cnocáin is na gleannta, ó scailpeanna is ó chlocha Chonamara. Bhí sé an-deacair greim mar sin a bhogadh go fisiciúil ach bhí sé i bhfad níos deacra do na seandaoine scaradh leis an ngreim intinne agus leis na cuimhní cinn a bhain leis na gabháltais a d'fhágadar, ní hé amháin na gabháltais ach freisin na portaigh móna agus na cimíní a raibh láimh acu iontu.

Ach gan bacadh leis an talamh beag ná mór má chuireann duine ceist ar éinne de na seandaoine i Ráth Cairn faoi chéard is mó a chronaíonn siad uathu ní ar an talamh a chaintítear ach ar an bhfarraige. B'í an fharraige nó easpa na farraige a rinne Ráth Cairn chomh strainséarthach sin do na himirceoirí, agus ba rí-dheacair an lá a chur isteach dá huireasa.

Ní mór a choinneáil i gcuimhne i gcónaí ar ndóigh go mba chladóirí iad an dream seo a d'imigh i 1935. Go deimhin féin ba oileánaigh dhá chlann acu. Daoine a bhí iontu a chuaigh i muinín an chladaigh agus na farraige chomh minic céanna agus a bhraith siad ar an talamh. Bhídís isteach is amach i gcurrachaí agus i mbáid, seal sna cladaigh ag baint fheamainne, ag piocadh faochain nó sliogéisc eicínt eile. Bhídís ag iascach agus ag plé le potaí. Bhain siad béile as an bhfarraige agus a timpeallacht chomh minic céanna agus a bhain siad as an talamh é. Bhí eolas agus tuiscint acu ar an tuile agus ar an trá, ar an iarthráigh is ar an lán mhara. Ba mhór i gceist acu mallmhuir agus rabhartaí, currachaí, maidí rámha, crogaí, agus gruiféid. B'iomaí luichtín móna a thug cuid acu amach go hÁrainn agus níos fuide ó bhaile. Nuair a bhídís ag scéalaíocht agus ag seanchas, níos minicí ná a mhalairt b'í an fharraige nó na báid mhóra a bhíodh faoi chaibidil.

Deirtear nach mbíonn bádóir suaimhneach nuair nach mbíonn sé ar an bhfarraige nó ar a laghad ar bith i bhfoisceacht scread asail di. Cén t-iontas mar sin go raibh luí chomh mór sin ag na himirceoirí leis na bólaí as a dtángadar agus gur chronaigh siad uathu an fharraige seachas aon ní eile. Mar a deir duine amháin den dream a d'aistrigh:

Faraoir géar nach bhfuil mé thiar anois. Níor fhága mise go raibh mé chúig bhliana déag d'aois. Tá mo chroí thiar is tá m'intinn thiar agus bím ag plé le báid agus is dóigh go bhfuil an fharraige thiar; airím uaim i gcónaí í.[9]

Agus tuige nach n-aireodh, óir tá áilleacht agus saoirse ag baint leis

9. Colm Seoighe ar an gclár *Ráth Cairn Caoga*.

an bhfarraige, saoirse a shíneann amach go bun na spéire. Tá fairsingeacht agus aoibhneas ag baint le radharcanna den chineál sin, fiú mura dtugann siad cothú ach don intinn amháin. Fiú má tá contúirt, tá draíocht de chineál eicínt, ag baint leis an bhfarraige. Draíocht agus gluaiseacht a tharraingíonn aghaidh na ndaoine uirthi. Nach minic le duine ar bith, ní áirím cladóir tréimhse fhada a chaitheamh ag féachaint amach ar an bhfarraige, áit a gceapfá nach mbeadh tada le feiceáil. Nach minic freisin le bádóirí agus cladóirí breathnú amach ar an bhfarraige le scil a bhaint aisti agus an aimsir a léamh nó le baithis na gréine a fheiceáil ag dul faoi.

Is mór idir timpeallacht den chineál sin agus réimsí talún atá chomh mín leis an bpláta bheith chaon taobh díot. Ní théann talamh dá bhreátha ná aon ghné eile den dúlra i bhfeidhm chomh mór ar intinn an duine leis an bhfarraige. Don té atá i dtaithí uirthi mar sin is snámh in aghaidh srutha é seanchleachtadh den chineál sin a bhaint as a chuid fola.

Is buan é an duine ina dhúthaigh féin adeirtear. Cibé áit ina bhfuil duine ina chónaí, go háirithe duine ón tuath, bíonn tuiscint thar na bearta aige ar an dúiche sin, i dteannta na staire agus an tseanchais a théann le gach cnocán is gleann, gach caladh agus crompán dá bhfuil ann. Bíonn a mharc féin curtha ag gach duine ar a bhfuil ina thimpeall agus úsáideann a chuid eolais ar an tíreolaíocht chun a leasa féin, le tacaíocht óna thuiscint féin agus ó thuiscint agus taithí a shinsir leis na cianta. B'amhlaidh do na cladóirí sa taobh seo tíre ariamh agus ba mhór an bac mar sin ar na daoine a chuaigh go Ráth Cairn an suíomh nua ina bhfuaireadar iad féin, an easpa tuisceana a bhí acu ar an domhan nua seo, agus an cleachtadh a bhí acu ón seansaol, cleachtadh a bhí as alt sa saol nua. Bhí seans ag na daoine óga cinnte tosú ag obair as an nua agus an t-aicsean a dhéanamh ach maidir leis na seandaoine ghoill sé níos mór orthu socrú síos. Mar a dúirt duine amháin den dream a d'aistrigh:

> Go leor de mhuintir Chonamara a tháinig aniar, cailleadh iad an lá ar tháinig siad ann. Ní admhóidís é sin. Tá a fhios agam. Bhí go leor leor daoine ann nach ndeachaigh siar ariamh. Chaill siad saol na mbád, saol na farraige agus saol an chladaigh.[10]

Taobh amuigh de na deacrachtaí sin ar fad, áfach, ní mór a thuiscint freisin gur theastaigh óna daoine imeacht. Bhí mí-shástacht

10. Ibid.,

forleathan ann leis an saol mar a bhí sa mbaile, áit nach raibh le fáil ach sclábhaíocht na farraige, sclábhaíocht na talún agus an phortaigh. De réir na dtuairiscí bhí Ráth Cairn molta agus ba ghlas mar a bhreathnaigh an áit as Conamara. Bhí daoine buíoch as an seans a fháil, seans le saol groíúil a chaitheamh le deiseanna maireachtála níos fearr. Ba as a stuaim féin mar sin a roghnaigh siad aistriú go Contae na Mí.

Agus ba aistear fada soir a bhí ann, an mhaidin Aoine úd, an 12 Aibreán 1935. Aistear os cionn 140 míle óna hoileáin go Ráth Cairn; aistear atá go láidir fós in intinn na ndaoine a d'imigh. Cuimhníonn na daoine fós go cruinn ar an lá úd ar fhág siad a mbaile. Maidin álainn earraigh a bhí inti, maidin lae a bhí an-chiúin agus bhí sé ina lán mhara i gcuan Chill Chiaráin ag timpeall a deich a chlog. Bhí na daoine ag stócáil ó mhoch maidne, fir, mná agus páistí ag bailiú an troscáin le chéile, leapacha, boird, cathaoireacha, éadach agus nithe beaga eile agus á lochtú ar na leoraithe. Bhí sé ina rí-rá an mhaidin úd, busanna ag teacht agus ag imeacht, bonnáin dá séideadh agus iad ag iarraidh casadh timpeall ar bhóithre cúnga Chonamara. Ba ar a seacht a chlog ar maidin a d'fhág an chéad bhus acu na hOileáin agus bhí sé i Ráth Cairn ar uair an mheán lae. Bhí sé an naoi a chlog san oíche nuair a leaindeáil an bus deiridh thuas mar gur bhris sé síos ar an mbealach. Lean na leoraithe iad leis an troscán agus is beag eile a d'fhéad siad a thógáil leo.

Luigh an t-aistear céanna sin go mór ar intinn na ndaoine a d'imigh. Aistear nua a bhí ann agus aistear fada trasna na tíre, gach míle de á dtabhairt níos fuide óna mbailte dúchais agus ag cur níos mó iontais orthu agus níos mó cumha. Chonaic an chuid is mó acu an tír, nó ar a laghad cuid den tír an chéad uair ariamh. Bhí Éire i bhfad níos mó ná mar a shamhlaigh siad; bhí Ráth Cairn i bhfad níos fuide ó bhaile ná mar a cheap siad. Shíl cuid acu go raibh siad ann nó ag tarraingt air, nuair a bhí siad in Órán Mór, ní áirím an bealach ar fad soir go Béal Átha na Slua, go hÁth Luain, an Muileann gCearr agus isteach go hÁth Buí agus go Ráth Cairn féin. Cén t-iontas gur cheap tuilleadh acu go raibh siad ag dul don domhan thoir nó go Tír na nÓg. Chonaic siad tír nua ar an turas sin aniar, tír a bhí i bhfad ó Chonamara, i bhfad ó na clocha is ó na cnoic is na sléibhte, tír eile a bhí gan eanaigh ná oileáin, gan cuanta ná céibheanna.

Ina n-áit siúd chonaic siad bailte móra agus *build*eálacha móra nár cheap siad bheith ariamh ann agus mílte de pháirceanna de thalamh mín cothrom gan cloch ná claí nach gcreidfidís go deo bheith ann murach go bhfaca siad iad. Talamh nár chleacht mórán ariamh den

*Ceann de na leoraithe dá lochtú le troscán i nGarumna.*

*Drisiúr á shocrú go cúramach ar cheann de na leoraithe.*

speal, den chorrán ná den láí. Mar a dúirt fear amháin a tháinig aniar an lá úd:

> B'uafásach an t-éirí amach dúinn é. Cheap muid go raibh muid sna flaithis, nach raibh aon chall dúinn tada a dhéanamh, go raibh muid ar mhuin na muice. Bhí muid ag cuartú clocha is gan cloch ar bith le fáil.[11]

Ach má bhí Ráth Cairn strainséarthach ó thaobh na tíreolaíochta de, bhí, freisin, ó thaobh an chultúir agus na teanga. Gaeilgeoirí a chuaigh soir, Béarla a bhí á labhairt thoir. B'í an Béarla teanga an tsiopa, teanga an tséipéil agus na scoile an chéad bhliain fiú, agus ba dheacair graithe a dhéanamh go minic dá huireasa. Rinne sé seo an áit níos nuaí fós, níos strainséartha agus níos fuide ó bhaile. Ní raibh dhá fhocal Béarla ag cuid mhaith de na daoine a tháinig aniar, ní áirím í a bheith ar a dtoil acu. Fiú go dtí inniu féin tá seandaoine i Ráth Cairn nach bhfuil acu ach cúpla focal Béarla. Ba mhór ag na daoine a d'aistrigh scáth agus comhluadar a chéile ach ainneoin sin bhí siad faoi léigear ag an mBéarla ar gach taobh.

Ach gan bacadh le teangacha ná cultúr beag ná mór is minic le Éireannaigh, go háirithe lucht tuaithe bheith imníoch faoin aimsir. Ní eisceachtaí ar bith muintir na Gaeltachta. Ní iontas ar bith é seo mar téann an aimsir i bhfeidhm ar shaol agus ar shaothar na ndaoine. Is féidir le bliain mhaith nó drochbhliain dul i bhfeidhm ar na daoine, bídís ag plé le féar, nó móin, nó fataí, ag iascach nó ag obair sa gcladach. I bhfocal amháin is féidir leis an aimsir láimh a shacadh i bpóca an duine agus cuir ann nó baint as.

Tá roinnt difríochtaí suntasacha idir an aimsir in iarthar agus in oirthear na tíre. Ní hé go bhfuil tábhacht an-mhór ag baint leo b'fhéidir ó thaobh na heacnamaíochta ach ar an taobh eile den scéal ní mór a thuiscint gur thug na daoine a d'aistrigh na difríochtaí sin faoi deara agus go mb'éigean dóibh dul ina gcleachtadh.

Tá tionchar mhór ag an Atlantach ar an aeráid san iarthar. Mar gheall ar na gálaí gaoithe a shéideann aniar níos minicí ná as aon treo eile bíonn i bhfad níos mó báistí san iarthar agus níos lú gréine ná mar a bhíonn in oirthear na tíre. Ar an taobh eile den scéal san iarthar téann an fharraige mhór agus na sruthanna teo atá inti i bhfeidhm ar an ngaoith, agus cé go mbíonn gaoth láidir san iarthar bíonn sí níos teocha ná mar a bhíonn in oirthear na tíre, agus dá bharr seo bíonn níos lú laethanta seaca san iarthar ná mar a bhíonn

---

11. Ibid., Seán Ó Conaire ag caint.

*Slán agus Beannacht — Busanna ag fágáil Leitir Móir, 12 Aibreán 1935.*

san oirthear. Go deimhin bíonn suas agus anuas le leathchéad lá seaca in oirthear na tíre de ghnáth in aghaidh na bliana nuair nach mbíonn ach timpeall a leath in iarthar na tíre. Chomh maith leis an sioc, titeann níos mó sneachta san oirthear ná mar a thiteann thiar, rud a chiallaigh nach raibh a leath oiread taithí ag na daoine a d'aistrigh ar an sneachta. Go deimhin tuairiscítear faoi na daoine a d'aistrigh go Baile Ghib an 7 Márta 1937, go raibh iontas an domhain orthu nuair a dhúisigh siad an mhaidin dar gcionn, agus nuair a chonaic siad go raibh siad timpeallaithe le cúpla troigh sneachta a thit in aon oíche amháin.[12]

Ó thaobh na haimsire go ginearálta mar sin bhí agus tá difríochtaí idir Conamara agus Ráth Cairn. Ní hé mar a deir mé go raibh tionchar an-mhór ag an éagsúlacht aimsire ar chúrsaí eacnamaíochta ach ina dhiaidh sin chuaigh sí i bhfeidhm a bheag nó a mhór ar a gcuid oibre agus bhí sí ag cur i gcuimhne do na daoine a d'aistrigh an t-am ar fad go raibh siad ag plé le talamh nua i gceantar nua, i saol nua.

Tá sé soiléir mar sin gur scéim an-neamhghnách imirce a bhí san aistriú seo go Ráth Cairn do mhuintir Chonamara. Ar ndóigh, le linn an ama bhí Coimisiún na Talún ag ceannach talamh agus ag aistriú teaghlaigh ó go leor ceantar iargúlta go lár na tíre. An rud is suntasaí faoin gcineál seo imirce mar a chonaic muid ná gur bhain sí leis an gclann ar fad, gur imigh na teaghlaigh mar aonaid agus nár briseadh suas iad. Cé nár chleacht muintir Chonamara an cineál seo imirce, mar sin féin is cóir a lua go raibh an scéim as a dtáinig Gaeltacht Ráth Cairn an-chosúil le scéim eile a bhain le cuid d'iarthar na tíre blianta roimhe sin. Sin an seanscéim a bhí ann idir 1882 agus 1884 ar a dtugtaí an Free Emigration nó scaití eile scéim imirce Tuke, óir bhí baint mhór ag fear darbh ainm James Tuke leis an scéim. D'fhág beagnach deich míle duine iarthar na hÉireann ag an am agus an chosúlacht mhór a bhí idir an scéim agus scéim Ráth Cairn ná gur clanna is mó a d'imigh. Mar shampla, as Ceantar na nOileán sa mbliain 1883 d'imigh 86 chlann ar fad nó 329 nduine chuig áiteacha éagsúla sna Stáit Aontaithe agus i gCeanada.[13] Go

12. Máire Ginnity, *A Study of the Two Gaeltachts in Co. Meath: Rathcairn and Baile Ghib*. Tráchtas B.A. 1982. Roinn na Tíreolaíochta, T.C.D. lgh. 7-8.
13. James H. Tuke, *Reports and papers relating to the proceeding of the Committee of 'Mr. Tuke's Fund' for assisting emigration from Ireland during the years 1882, 1883 and 1884*. Baile Átha Cliath, 1884, lch. 130.

deimhin as Gaeltacht Chonamara ar fad d'imigh os cionn míle duine nó 198 gclann idir an 23 Márta agus an 23 Meitheamh, 1883. Imirce eagraithe a bhí anseo freisin ina raibh a mbealach íoctha do na daoine agus áit le fáil acu le socrú síos ar an taobh eile den Atlantach.

Bíodh sin mar atá bheadh gaolta agus cairde ag fanacht leo thall. B'shin difríocht mhór amháin idir an Free Emigration agus an imirce go Ráth Cairn. Ní bheadh an fháilte chéanna roimh mhuintir Ráth Cairn. Ní raibh sé éasca acu socrú síos. Daoine as Conamara a bhí iontu an t-am ar fad agus iad mar a bheidís stoite amach óna ndúchas agus athphlandáilte i gcré nua. Ba dheacair an ceangal leis an seanáit a bhriseadh; ní hé gur cheart an ceangal a bhriseadh ach san am céanna chaithfí socrú síos uair éigin i Ráth Cairn. Go deimhin theip ar dhá chlann socrú síos agus d'fhilleadar abhaile ar Chonamara. Bealach eile inár choinnigh na daoine an ceangal leis an mbaile ná gur tugadh sochraidí ar ais go Conamara, fiú chomh deireanach leis na seachtóidí tugadh trí shochraid ar ais, rud a léiríonn chomh deacair is a bhí sé briseadh leis an seanáit agus glacadh le Ráth Cairn mar áit dhúchais.

Mar a chonaic muid tá sé éasca an méid sin a thuiscint. Domhan nua ab ea Ráth Cairn ar go leor bealaigh. Domhan a bhí difriúil ó thaobh na tíreolaíochta. Cén t-iontas gur thug cuid de na daoine na hasail leo aniar as Conamara agus iad ag imeacht. Ní hé an oiread sin cleachtadh a bhí acu ar na caiple ach bheadh orthu foghlaim lena láimhseáil sa saol nua seo. B'é a mhalairt de scéal a bhí ann ó thaobh na farraige; ní raibh siad in ann an t-eolas ar fad a bhí cruinnithe acu théis taithí na mblianta a chur in úsáid agus is sa seanchas agus sna cuimhní cinn a dhéanfaí seoltóireacht agus bádóireacht feasta. Domhan nua a bhí ann freisin mar a chonaic muid ó thaobh an chultúir agus na Gaeilge de agus ó thaobh na haimsire bhí difríochtaí suntasacha freisin.

Bhí ar na teaghlaigh a d'aistrigh iad féin a mhúnlú don domhan nua seo agus a ndícheall a dhéanamh bheith foighdeach. Chaith siad seal fada ag socrú síos agus is cinnte gur míshuaimhneach an saol a bhí ag go leor de na seandaoine a d'aistrigh; bhí cuid acu nach raibh ar a suaimhneas oiread agus lá amháin i Ráth Cairn. Ní raibh an cothú intinne le fáil acu ann a theastaigh uathu agus bhí go leor dá gcairde saoil i bhfad ó bhaile. Ba mhór a bhí idir dúiseacht gach maidin Domhnach is dálach i Ráth Cairn agus dúiseacht i gConamara.

Bhí ar na daoine eile a bhí níos óige socrú síos freisin rud nach raibh éasca. Luaigh muid cuid mhaith de na difríochtaí agus na deacrachtaí go dtí seo, ach bhí i bhfad níos mó ná sin i gceist. Bhí na daoine féin i gceist, muintir Chontae na Mí nár thug mórán cúnaimh amantaí, rud atá le tuiscint, is dóigh, mar bhíodar féin freisin ag faire ar an talamh céanna a fuair muintir na Gaeltachta. Mar a fheicfeas muid ní bheadh an saol bog agus ní bheadh aon rud le fáil ar 'ardú orm' ar mhachaire méith na Mí.

**4** *Liam Ó Nualláin*
*Tíreolaí agus léachtóir i gColáiste Oideachais Dhún Chéirigh*

# Ag Socrú Síos i Ráth Cairn

Baineann an t-alt seo le scéal Ráth Cairn agus go háirithe le bunú na Gaeltachta ann caoga bliain ó shoin. Ag féachaint dúinn ar *Griffith's Valuation* timpeall 1850[1] feictear go raibh baile fearainn Ráth Cairn roinnte ar thrí chlann arbh úinéirí talún iad — Muintir Hope a raibh 230 acra acu, Muintir Heffernan 183, agus Muintir Maher 343. Ní raibh sa bhaile an uair sin ach seacht dteach agus bhí tréadaí lonnaithe i dtrí cinn díobh seo. Bhí an patrún áitrithe seo le fáil go ginearálta trí thailte breátha dheisceart na Mí agus réimsí eile a bhí tugtha don bheostoc. Ar an lámh eile de bhí na mílte lonnaithe ar charraigeacha loma Chonamara. Dar le tuarascáil Choimisiún na Gaeltachta i 1926 bhí tuairim is 15 mhíle duine sa réigiún ó Chuan Chasla siar chomh fada leis an Máimín ina gcónaí ar 3 mhíle feirmeacha.

Cad ba chúis leis an gcontrárthacht seo — sárthalamh na hÉireann a bheith i seilbh cúpla rainseoir agus na mílte lonnaithe ar imeall cúng na mara in iarthar na hÉireann? Bhuel tá freagra na ceiste seo sa stair, go háirithe stair na tíre ón seachtú céad déag anall nuair a cuireadh córas na n-eastát ar bun sa tír seo. Roinneadh tailte saibhre na tíre idir na strainséirí agus díbríodh muintir na hÉireann go dtí na cnoic agus na portaigh. Bhí patrún déimeagrafaíochta difriúil ag an dá dhream agus le himeacht aimsire chuir méadú

---

1. *Primary Valuating Tennents,* Barúntacht Lune, Co. na Mí (Baile Átha Cliath 1854).

daonra brú uafásach ar na tailte imeallacha. Bhí an scéal mar an gcéanna in Albain mar a bhfuil agus a raibh an-chontrárthacht idir na sléibhte sa tuaisceart agus na mánna sa deisceart. Ach idir 1850 agus 1935 tharla réabhlóid sóisialta in Éirinn. Bhain an réabhlóid seo le haistriú tailte na hÉireann ón dream Gallda a bhí i réim ón seachtú aois déag anall go muintir na tíre. Bunaíodh Coimisiún na Talún i 1881 agus bhí baint aige le haistriú 15 mhilliún acra[2]. Caithfimid a admháil i dtús báire nach raibh i scéim Ráth Cairn ach cuid bheag d'obair an Choimisiúin ach tá agus bhí sé suimiúil riamh toisc go raibh ceist na teanga fite fuaite le ceist na talún. Ag féachaint dúinn ar Leabhar Luachála 1945 is soiléir gur tharla réabhlóid i Ráth Cairn[3]. Bhí an baile fearainn eagraithe anois i 27 bhfeirmeacha rialta, timpeall 22 acra i ngach ceann acu — tithe nua scaipthe ar fud an bhaile agus cosmhuintir le ainmneacha ar nós Ó Conaire, Ó Lupáin, Ó Cofaigh, de Bhailís agus Mac Donncha lonnaithe ann. Déanfaidh mé iarracht cur síos ar an bpróiseas seo.

Mar a dúirt mé bhí Coimisiún na Talún ag plé le fadhb na talún ó 1881 nuair a bunaíodh é. Bunaíodh Bord na gCeantar gCúng in 1881 agus cúram speisialta acusan in iarthar na hÉireann[4]. Ní raibh spéis ag ceachtar díobh seo sa teanga ach d'aithníodar go raibh fadhbanna faoi leith sna limistéir Ghaeltachta. Bhí polasaí imirce ag Bord na gCeantar gCúng ach bhí sé dírithe ar ghluaiseacht taobh istigh de na ceantracha cúnga. Bhain na scéimeanna éagsúla le daoine a aistriú ó na réigiúin a bhí plódaithe go dtí limistéir na dtailte féaraigh. Mhol Coimisiún na Gaeltachta polasaí imirce don Rialtas i 1926-7[5] agus feictear i dtuarascáil bhliantúil Choimisiún na Talún 1929 go raibh an Coimisiún ag plé le tailte do cheannach — 23,121 acra i gceantair Sheana Phéistín agus Ghleann an Mháma[6]. Is léir go raibh siad chun iarracht a dhéanamh fadhb na talún san iarthar do réiteach trí imirce áitiúil. Tógadh bóthar nua idir Casla agus Uachtar Ard — chuireadar crainn, tugadh faoin uisce a thaoscadh ach i ndeireadh na dála níor bunaíodh ach timpeall is leath scór feirm nua. Bhí an áit ró-iargúlta, ró-fhada ón bhfarraige

2. *Land Law (Ireland) Act*, 1881, C. 49.
3. *Leabhair Valuation*, Barúntacht Lune, Co. na Mí (1945), An Oifig Luachála, Baile Átha Cliath.
4. Stationery Office, *Tuarascáil Choimisiún na Gaeltachta*, 1926; Miontuairiscí 17 Aibreán — 19 Deireadh Fómhair 1925. (Baile Átha Cliath 1926).
5. *Purchase of Land (Ireland) Act*, 1891 Part II.
6. Irish Land Commissioners, *Annual Report, 1 April 1928 to 31 March 1930*, (Dublin 1930), lch. 7.

agus bhí an talamh ró-gharbh. Chruthaigh seo nach raibh réiteach na faidhbe le fáil i dtalamh garbh intíre Chonamara. Tháinig athrú ar pholasaí an Choimisiúin toisc bua Fhianna Fáil san olltoghchán i 1932 agus go háirithe an brú a chuir imeachtaí polaitiúla taobh istigh de Chonamara ar an Rialtas[7].

Sna tríochaidí ní raibh mórán oibre nó mórán dóchais in iarthar na hÉireann nó in aon chuid den tír. Bhí an cogadh eacnamaíochta i lár a réime agus an iomad béime ar an dtalmhaíocht mar shlí bheatha. Chuir an cogadh eacnamaíochta brú uafásach ar na feirmeoirí agus bhí na mílte dífhostaithe. Dar le daoine mar Chriostóir Mac Aonghusa, Máirtín Ó Cadhain, Seán Ó Coisdealbha, Seosamh Mac Mathúna agus Micheál Ó Loideáin b'é socrú na ceiste ná daoine d'aistriú ó thailte loma an iarthair go tailte saibhre a bhí i seilbh rainseoirí i gceartlár na tíre. Tar éis aifreann Domhnaigh i gConamara bhíodh cruinnithe agus na roisc chatha "tailte bána na Mí", "an bóthar do na bulláin", "céachtaí", "seisreach" srl. i mbéal gach éinne[8]. Bhíodh na focail chéanna le cloisint i dtús an chéid i dTiobraid Árainn agus in áiteacha eile. Níor cuireadh an oiread sin béime dar liomsa ar an dteanga sna himeachtaí seo — ceist caighdeán maireachtála agus eacnamaíochta a bhí ann.

Cuireadh toscaireacht go Bleá Cliath chun cúnamh de Valera d'fháil agus murach de Valera ní bheadh Gaeltacht Ráth Cairn ann, dar liomsa. Bhí suim aige sa teanga agus cheap sé gurb iad na feirmeoirí beaga bunchloch chóras cultúrtha agus sóisialta na tíre. Ní raibh mórán de thailte saibhre Luimní ag muintir de Valera agus uaireanta bíonn dearcadh rómánsúil ag daoine gan talamh faoi shaol na bhfeirmeoirí. Ar maidin Déardaoin Cásca 1934 d'fhág gasra ar rothair Spidéal na Gaillimhe chun taisteal go Bleá Claith agus cás mhuintir Chonamara a chur faoi bhráid an Rialtais. I mí Eanáir 1935 d'fhógair Máirtín Ó Cadhain fealsúnacht Mhuintir na Gaeltachta — ag caint dó ar Chnoc Teamhair — ionad ársa siombalach na hÉireann dúirt sé:

> "They had seen that day the two Irelands — the Ireland of the Irish and the Ireland of the bullock. In the near future he hoped there would be but one Ireland — The Ireland of the Irish."[9]

7. Léigh Criostóir Mac Aonghusa 'Gaeltacht Ráth Cairn', *Comhar,* Aibreán (1985); Proinsias Mac Aonghusa 'Cúigear déag a sheas an fód', *Anois* 14.4.1985; Éamon Ó Ciosáin, 'Bunú Ghaeltacht na Mí' *Comhar,* Nollaig (1985).
8. Criostóir Mac Aonghusa op. cit., lch. 5.
9. *Meath Chronicle,* 29.1.1935.

B'iad muintir na nOileán agus Thír an Fhia a bhí chun cultúr agus eacnamaíocht na tíre d'aisiompú. Is léir anois gur chuir an athphlandáil brú uafásach ar an dream a tháinig aniar go machairí uaigneacha Chontae na Mí. Amach anseo bheadh orthu déileáil le maorlathas mall, neamh-phearsanta, Coimisiún na Talún, le muintir dhúchasach na Mí a bhí ag súil leis na tailte dóibh féin; le Gaeilgeoirí Bhleá Cliath a bhí fonnmhar saol cultúrtha na n-imirceach do mhúnlú, le talmhaíocht agus timpeallacht nua.

Maidir le Coimisiún na Talún ní raibh cúram riamh orthu maidir le hathbheochan nó leathnú na Gaeilge. De réir na nAchtanna talún bhí orthu talamh d'fho-roinnt agus d'aistriú, feirmeacha nua do bhunú agus na morgáistí do bhailiú. Maidir le himirce thosnaíodar ag tabhairt daoine aniar timpeall 1933 agus idir sin agus an lá atá inniu ann tháinig tuairim is 2,600 teaghlach aniar[10]. D'oibrigh polasaí 'colony migration' idir 1935-1939 agus siad na cóilíneachtaí a bunaíodh ná Ráth Cairn (1935) 27 dteaghlach, Cill Bhríde (1937) 13 dteaghlach, Baile Ghib (1937), 50 teaghlach Clongill (1939) 9 dteaghlach agus Allenstown (1940) 23 dteaghlach. Bhí deacrachtaí éagsúla acu ón tosach. Bhí sé costasach — de ghnáth ní bheadh réimsí talún oiriúnach le fáil chun freastal ar ghrúpa mór mar chóilíneacht — agus tar éis 1939 chuireadar polasaí nua i bhfeidhm, sé sin, teaghlaigh aonair nó 'group migration' i 3 nó 4 theaghlach.

Sa tuarascáil bhliantúil 1935 deineadh tagairt don scéim imirce trialach a bhí idir lámha. Is suimiúil na focail atá in úsáid — *"colony"*, *"settlement"* agus *"pioneers"*. Bhí aidhm nua anois ag obair an Choimisiúin, an Ghaeilge do chaomhnú agus do leathnú. Ceannaíodh 776 acra i Ráth Cairn. Cuireadh 158 n-acra ar leataobh le roinnt idir na tréadaithe a bhí fostaithe cheana féin ar na heastáit agus roinneadh 588 acra i 27 gcuid — agus timpeall 21½ acra i ngach feirm[12]. Tógadh tithe cónaithe agus na gnáthfhoirgnimh feirme — stábla, cró na muc, cró na gcearc agus cró na mbó. Deineadh bóithre agus cuireadh claíocha timpeall ar na páirceanna. Tugadh beostoc: 4 bhó, 10 gcaora, capall, cráin mhuice, uirlisí feirme agus portach

---

10. Faoi na scéimeanna 'Colony' agus 'Group migration' go léir aistríodh 1,005 theaghlach. Idir 1950-1974 aistríodh 2,125 theaghlach ar fud na tíre go léir faoi scéimeanna eile. Irish Land Commisioners *Annual Report,* (1980) lch. 24 agus Irish Land Commissioners, *Annual Report 1973/74,* lch. 37.
11. Irish Land Commissioners, *Annual Report 1 April 1934 to 31 March 1935,* (Dublin, 1935), lch. 6.
12. Irish Land Commissioners, *Annual Report 1 April 1936 to 31 March 1937 and for the period ended 31 March 1937* (Dublin, 1937), lgh. 6, 7.

móna do gach imirceoir. Bhí 3½ acra curtha dóibh le coirce prátaí srl. Fostaíodh na fir óga ag déanamh claíocha. Bhí cigire talmhaíochta ag freastal ar an scéim chun modhanna oiriúnacha do thalmhaíocht na Mí do mhúineadh. Chosnaigh an obair ullmhúcháin £27,000 agus dar leis an gCoimisiún bhí costas breise de £300 ar fheirm d'ullmhú d'imirceoir i gcomparáid leis an méid a chosnódh sé fear dúchasach gan talamh do chur i seilbh[13].

Maorlathas mór státseirbhíseach a bhí sa gCoimisiún agus insítear scéal amháin a chuireann an tréith seo in iúl dúinn. Bhí dualgas ar an oifigeach talmhaíochta na capaill oibre do cheannach — cheannaigh sé capall nach raibh fonn oibre uirthi. Ní raibh fhios aige céard a dhéanfadh sé — ar deireadh thiar séard a rinne sé ná sreangscéal a chur go hArd Oifig an Choimisiúin i mBleá Cliath ag rá "Grey mare refuses to work — await instructions"[14].

Ag tús na ndaichidí thug de Valera agus Caoimhín Ó Beoláin cuairt ar Bhaile Ghib, cóilíneacht a bunaíodh i 1937. Dúirt duine de na hiar chomisinéirí go raibh cuimhne shoiléir aige ar Dev:

Fear ard tanaí, cóta mór dubh ag scríobadh na talún, caipín dubh ar a cheann — ag gabháil síos an bealach ag caint le imirceoir as Corca Dhuibhne agus togha na Gaeilge ag an mbeirt acu.[15]

B'fhéidir gur cheap Dev gurb í a aisling a bhí tagtha i gcrích. Comhluadar Gaeilgeoirí bunaithe i gceartlár na Páile breis agus fiche míle slí ón bPríomh Chathair. Bhí, dar leis, an stair curtha ar ceal agus gaisce réabhlóideach déanta — an athphlandáil.

Ach an raibh? Bhí scata teaghlach tar éis cur fúthu i gContae na Mí gan ach fíorbheagáin pleanála déanta. Ní raibh dualgaisí an Choimisiúin leathan go leor chun déileáil i gceart le scéim chomh réabhlóideach seo. Bhí feidhmeanna an Choimisiúin dírithe ar cheist na talún agus i ndáiríre bhí ceist na talún chomh práinneach sin nach raibh mórán deiseanna acu feidhmeanna forbartha nó cultúrtha a chur chun cinn. Cuireadh na himircigh i seilbh agus ina dhiaidh sin bhí dualgas de réir an dlí ar an gCoimisiún an teacht isteach do bhailiú agus bheith sásta go raibh an feirmeoir nua ag tabhairt faoin bhfeirmeoireacht. Ní raibh aon fho-roinn acu cleachtach ar fhadhbanna a bhain le aistriú cultúir nó forbairt na Gaeilge. I Ráth Cairn cuireadh timpeallacht na feirme bige ar bun

13. Ibid.
14. Agallamh le Tomás Ó Súilleabháin.
15. Ibid.

— tithe scaipthe amach óna chéile, suite ar thaobh na mbóithre. Thiar i gConamara bhíodh na tithe cóngarach dá chéile sna bailte. Bhí pobal Ráth Cairn ag brath ar Bhaile Átha Buí do sheirbhísí ar nós — siopaí, eaglais, tithe ósta, damhsa agus pictiúrlann. Ní raibh lárionad ag muintir Ráth Cairn agus fágadh fúthu féin páirc imeartha d'aimsiú. Fágadh an scoil faoin Roinn Oideachais agus an séipéal faoin eaglais.

### Tuairimí mhuintir na háite

Ar an 20ú lá d'Aibreán 1935 d'fhógair an *Meath Chronicle:* "Fearann muintear na Galltachta fíor fháilte roimh mhuintir na Gaedhealtachta chuig mhachairibh breátha ríoghda na Midhe."[16] Dúradh san eagrán céanna gur tháinig na himircigh ó Chonamara, tír na gcloch agus na gclaíocha gan acu ansin ach an bochtanas agus an sclábhaíocht — iad ag maireachtáil ar cheithre nó cúig acra déanta suas de mhionpháirceanna nach raibh iontu ach an fichiú cuid den pháirc ba lú i gContae na Mí. Cé go raibh an páipéar seo, a raibh claonadh i dtreo Fhianna Fáil ann, fábhrach don scéim ón tús — is léir nach raibh mórán tuisceana acu ar chúlra eacnamaíochta na n-imirceach. I ngach cuid de Chonamara ach thaobh na farraige bhí an talmhaíocht fite fuaite leis an iascaireacht. Deineadh dearmad freisin ar thalamh féaraigh na sléibhte, feamainn an chladaigh agus cearta cimíní eile mar an portach. Dáiríre bhí muintir an Mháimín, Thír an Fhia, Inis Treabhair, Eanach Mheáin agus na Ceathrún Rua tugtha don churrach agus níos cleachtaithe air ná mar a bhí ar an gcéacht. Cuireadh an iomad béime ar bhochtanas agus cruatan an tsaoil thiar agus níor deineadh iarracht comparáid cheart do dhéanamh idir saol fheirmeoirí beaga nó oibrithe feirme Chontae na Mí agus na daoine a tháinig aniar.

Ní nach ionadh ní raibh fáilte ag muintir dhúchasach na Mí roimh na himircigh. Cheapadar siúd go raibh tailte breise agus go háirithe tailte a gcontae féin tuillte acu[17]. Ar fud na tíre go léir chuir an fhadhb seo — na dúchasaigh i gcoinne na n-imirceach isteach go mór ar scéimeanna an Choimisiúin. Fiú amháin nuair a tugadh feirmeacha do dhaoine taobh istigh dá gcontae féin gan imirce idir

---

16. *Meath Chronicle*, 20.4.1935.
17. Scríobhadh litir go dtí Coimisiún na Talún 18.3.1924 ó chraobh Áth Buí 'Back to the Land Association' á rá gur cheart eastáit Heffernan agus Maher i Ráth Cairn a roinnt amach ar mhuintir na háite. *S 5782* Cartlann Choimisiún na Talún, Baile Átha Cliath.

*Ionadaithe ó Chonradh na Gaeilge ag fáiltiú roimh na himirceoirí óga as Conamara.*

na contaethe éagsúla bheith i gceist. Bhí deighilt a mhair na blianta idir an dá dhream[18]. Ní raibh mórán caidrimh shóisialta eatarthu — bhí siad deighilte amach sa séipéal, sa reilig, agus is beag an ceangal pósta a deineadh idir an chéad ghlúin agus muintir na háite. D'oibrigh Ráth Cairn agus na scéimeanna eile toisc an easpa daonra sna limistéir a raibh rainsí iontu cosúil le Cill Dara, Contae na hIar Mhí, tuaisceart Bhleá Cliath, oirthear Ros Comáin agus go háirithe Contae na Mí. Ní raibh na feirmeoirí beaga, a chuir brú ar an Rialtas na heastáit do bhriseadh suas agus a chuir srian freisin le gluaiseacht isteach imircigh, chomh líonmhar nó chomh heagraithe san áit seo ina raibh traidisiún an bheostoic go láidir. Bhí gan dabht coimhlint sa Mhí — ach ní raibh sé eagraithe ná leanúnach. I gCogadh na Talún sa tír seo cuireadh an béim ar litreacha faoi ainmneacha cleite agus ar na foláirimh scríofa ar fhallaí. Is amhlaidh a bhí an scéal i Ráth Cairn. Ar an 29 Eanáir bhí litir le ainm cleite (Tara) ag cur go mór i gcoinne na scéime[19]. Bhí sé/sí ag tabhairt faoi na Gaeilgeoirí toisc nach raibh siad in ann biatas siúcra do chur ar fáil don mhonarcha siúcra i dTuaim. Bhí seirbhís leighis saor in aisce acu freisin agus an córas oideachais fábhrach dóibh toisc an bhéim a bhí ar an nGaeilge éigeantach. Chuaigh Tara i muinín na staire ach bhí dearcadh eile ar fad aige seachas an dearcadh a bhí ag an gCadhnach. B'fhéidir, scríobh sé, gur dhíbir Cromail sinsir na nGaeilgeoirí trasna na Sionainne ach cad mar gheall ar mhuintir na Mí a sheas an fód agus a choimeád greim ar phortaigh agus sléibhte cheartlár na tíre. Freisin rinne sé tagairt d'Éirí Amach 1798 nuair dar leis, do sheas muintir na Mí an fód i gcoinne arm Rí Shasana ina raibh cainteoirí dúchasacha Gaeilge. Foilsíodh litreacha eile ach bhí an teachtaireacht bhunúsach mar an gcéanna. Tharla eachtraí eile, ar an dara lá de Shamhain scaoileadh urchair le teach folamh agus scríobhadh fógraí ar na fallaí "Warning: no more migrants here" agus "This land is not for Connemara people, it is for Meath men"[20]. Bhí port eile ag na polaiteoirí — dúirt Captain Giles, Teachta Dála Chumann na nGaedheal gur tugadh suas na Gaeilgeoirí chun an bua do thabhairt do Fhianna Fáil san olltoghchán[21]. Tá sé cinnte gur thug na

---

18. Féach mar shampla ar Joan Landers, 'A Study of a Land Commission Estate in Golden, Co. Tipperary', Tráchtas B.A., Roinn na Tíreolaíochta, Coláiste na hOllscoile, Baile Átha Cliath 1971.
19. *Meath Chronicle*, 29.1.1935.
20. Ibid., 2.11.1935.
21. Ibid., 8.5.1937.

*Liam Ó Nualláin*

himirceoirí tacaíocht pholaitiúil do pháirtí de Valera ach sé mo thuairimse nach mbeadh tionchar na vótaí seo le feiceáil go dtí 1945-1950 — ní raibh, cuir i gcás, ach timpeall is 51 duine thar 21 bliain d'aois nuair a tháinig an chéad dream go Ráth Cairn. Is deacair dúinn a shamhlú sa lá atá inniu ann cé chomh teoranta is a bhí saol na ndaoine sna tríochaidí. Is beag taisteal a dheineadh na gnáthdhaoine — ach amháin go cluiche peile nó iománaíochta, séipéal, aonach nó chuig an uachtarlann b'fhéidir. Ní minic a bhíodh caidreamh sóisialta nó teagmháil eacnamaíochta idir muintir na Mí agus muintir Chonamara. Bhí saol mhuintir na tuaithe bunaithe ar an mbaile fearainn agus réim shóisialta cúpla míle aige. Sin an fáth gur cuireadh an méid sin suime i muintir na Gaeltachta. Cén saghas daoine a bhí iontu? An raibh siad fiáin? Insítear scéal amháin a léiríonn an dearcadh *racialist* mar saghas *ethnic joke* atá ann. Deirtear go raibh scata seanbhan as Áth Buí ag siúl amach tráthnóna Domhnaigh chun radharc d'fháil ar na himircigh. Bhí graí capaill ag an Aga Khan ar an mbóthar ó Áth Buí go Ráth Cairn agus daoine gorma nó bleaics lonnaithe ann. Nuair a chas na mná ar na daoine úd d'iompaigh siad agus ar ais leo go hÁth Buí agus an teachtaireacht "the Gaelcocks ar black" i mbéal gach duine acu. Ní foláir a rá go bhfuil creidiúint ag dul do mhuintir Chontae na Mí as gan a bheith chomh binbeach i gcoinne na scéime is a bhíodh daoine ó chontaethe eile — Contae Thiobraid Árainn agus Luimnigh cuir i gcás.

### Gaeilgeoirí Bhleá Cliath

Bhí dearcadh eile ag Gaeilgeoirí Bhleá Claith agus na cumainn Ghaeilge timpeall na háite ar an scéal. Bliain na hathphlandála, dar leo, a bhí ann mar "gur indé a cromadh ar chuid de Ghaedhil gheanúla Chonamara do thabhairt aniar go talta míne méithe na Midhe"[22]. Anois bheadh Gaeltacht bheo i ngar don phríomh chathair — foinse cultúrtha agus inspioráide do mhuintir na Galltachta. Freisin bheadh muintir na Gaeltachta in ann cruthúnas do thabhairt don saol gurb é an timpeallacht a choiméad siar iad thiar i gConamara. Ar an Satharn ar tháinig muintir Ráth Cairn bhí imeachtaí éagsúla eagraithe dóibh in Áth Buí — cluiche iománaíochta, lúthchleasaíocht agus istoíche coirm cheoil le cláirseoir[23]. Ní raibh aon traidisiún iománaíochta i gConamara agus

22. *Scéala Éireann*, 13.4.1935.
23. *Meath Chronicle*, 13.4.1935.

78

*An scoil.*

# an scoil náisiúnta,ᴬ An Cruac Uí Gramna

| C | D | E | F | Ainm agus sloinne an dalta. | S | Uimir ṗá ranġ/rolla. | Mí an | | |
|---|---|---|---|---|---|---|---|---|---|
| | | | | | | | An Ráite uaṗ tug ceaṗ | | An ṫeaċtain uaṗ críoc an Satann |
| | | | | Naoiḋeanáin | | | 1·7·36 | 11·7·36 | |
| – | 7/36 | 7-2 | 27 | Seán O'Cuirrín | | 1 | G | | |
| – | 7/36 | 7·0 | 28 | Miceál Ó Griúiḃir | | 2 | G | | |
| – | 7/36 | 4·6 | 29 | Miceál Meiḋeir | | 3 | 2G | | |
| – | 7/36 | 6·6 | 30 | Donċaḋ O'Cualáin | | 4 | G | | |
| – | 7/36 | 5· | 31 | Máirtín O'Cualáin | | 5 | K | | |
| – | 7/36 | 5·9 | 32 | Máirtín Mac Donncaḋa | | 6 | G | o |
| – | 7/36 | 6·1 | 33 | Colm Mac Fualáin | | 7 | G | |
| | 4/37 | 6·2 | 34 | Seán Mac Donncaḋa | | 8 | | 77776 |
| | 4/37 | 7·8 | 39 | Miceál Uí Onzule | | 9 | | |
| | | | | Ranġ I. | | 0 | | |
| 165 | 7/35 | 8·4 | 1 | Miceál Ó Báillis | | 1 | \\\\ | \\\\ |
| 46 | 4/36 | 7·11 | 2 | Seosaiṁ Mac Donncaḋa | | 2 | \\\\ | \\\\ |
| 19 | 5/36 | 7·6 | 3 | Séamus Ó Catáin | | 3 | \\\\ | \\\\ |
| | 4/37 | 7·10 | 37 | Peaḋar Uí Fualáin | | 4 | 333 | 33333 |
| | 4/37 | 7· | 38 | Tomás Ó Fonzute | | 5 | | |
| | | | | | | 6 | | |
| | | | | | | 7 | | |
| | | | | Ranġ III. | | 8 | | |
| – | 7/36 | 9·9 | 4 | Peaḋar Mac Donncaḋa | | 9 | \\\\ | \\\\ |
| – | 7/36 | | 5 | Máirtín Mac Donncaḋa | | 0 | \\\\ | \\\\ |
| – | 7/36 | 13·1 | 6 | Seán Mac Donncaḋa | | 1 | \\\\ | o |
| 34 | 4/36 | 10·6 | 7 | Miceál Mac Donncaḋa | | 2 | \\\\ | \\\\ |
| | 5·37 | 0· | 48 | Labras O'Braoláin | | 3 | +++ | ++434 |
| | | | | | | 4 | | |
| | | | | | | 5 | | |
| | | | | | | 6 | | |
| | | | | Ranġ IV. | | 7 | | |
| – | 7/36 | 12·8 | 8 | Antoine Báille | | 8 | \\\\ | \\\\ |
| – | 4/36 | 12·8 | 9 | Seán Mac Donncaḋa | | 9 | | |

*Liosta ó leabhar rolla na bunscoile, 1936.*

ceapaim nach mbeadh an chláirseach le feiceáil i gCeantar na
nOileán ach an oiread. Taispeánann na himeachtaí seo míthuiscint
bhunúsach faoi shaol sóisialta na Gaeltachta. Le linn na n-óráidí a
thug Gaeilgeoirí na háite don chomhluadar cuireadh an-bhéim ar a
thábhachtaí a bhí an limistéar timpeall Áth Buí i stair na hÉireann
ó aimsir Mhéabh i leith. Bhí tagairtí do phlandáil Chromail agus
anois an phlandáil nua — sliocht na muintire a díbríodh siar na
blianta ó shoin anois tagtha aniar thar abhainn na Sionainne chun a
n-oidhreacht d'atógáil. Deineadh caint freisin ar an sagart Gaelach
Eoghan Ó Gramhnaí ó cheantar Átha Buí a rinne sárobair in
athbheochan na Gaeilge. Tugadh le fios do na himircigh go raibh
orthu an oidhreacht stairiúil seo do chaomhnú agus do leathnú.

Níor tugadh mórán seans do mhuintir Ráth Cairn socrú síos.
Gach Domhnach nach mór bhíodh an áit plódaithe le *trippers* ag
teacht chun radharc d'fháil ar na *pioneers*. D'éirigh sé chomh dona
sin go raibh ar an Rialtas ráiteas poiblí a eisiúint ag cur dualgaisí na
gcóilínithe agus na *language enthusiasts* in iúl[24]. Ní raibh siad ann
mar *tourist attraction,* dar leis an Rialtas. Ba feirmeoirí a bhí iontu
agus chaithfí deis a thabhairt dóibh dul ar aghaidh leis an obair. Bhí
brú orthu anois ó gach aird — cúram na teanga agus na
hathbheochana chomh maith le cúram a dtailte. Bhíodar á dtástáil
ceart go leor agus an saol á mhúnlú dóibh ag gach éinne.

Maidir leis na daoine a tháinig aniar tá sé soiléir gur ghoill an
t-aistriú go mór ar na seandaoine a tháinig chun bás d'fháil in
uaigneas na Mí. Mar a dúirt Colm Seoighe in agallamh le Máirtín Ó
Flatharta ar Raidio na Gaeltachta ar ócáid cheiliúradh caoga bliain
Ráth Cairn:

"Go leor de na daoine a tháinig aniar as Conamara go Contae na Mí
cailleadh iad an lá ar tháinig siad ann. Chaill siad saol na mbád, saol na
farraige, an trá, ag dul anonn is anall go hÁrainn le móin agus chuile rud
eile."

"Mar dá olcas", a dúirt *Scéala Éireann* ag cur síos ar bhriseadh
croí na seandaoine[25], "agus dá bhoichte é Conamara níl a muintir
gan bheith ceanúil ar na clocha féin ann. Sea agus na comharsain."
Tá an-difríocht idir tírdhreach Chonamara agus na Mí. Níl
dromchla na Mí chomh réidh is a cheapfá agus de bharr na

24. Ibid., 25.5.1935.
25. *Scéala Éireann*, 13.4.1935.

míchothromaíochta seo feictear go bhfuil sé an-chúng i gcomparáid leis an tír mhór oscailte le radharc na mara agus na sléibhte thiar. Cé go bhfuil cósta beag ag Contae na Mí níl traidisiún na farraige i saol an chomhluadair ach bhí an fharraige agus gach ar bhain léi mar ábhar bunúsach den saol thiar. Sa Mhí tá flúirse crann agus mótaí ann ionas go dtagann an dorchadas go luath ann. Sa gcraoladh céanna a luaigh mé thuas dúirt na cainteoirí nach raibh na séasúir chomh difriúil san sa Mhí ach dar leo i gConamara go mothaíonn duine teacht an earraigh toisc an fás a thagann ar an bhféar agus an borradh a thagann faoi chuile rud. Baineann pearsantacht na Mí le gnéithe a feictear i mBrú na Bóinne — New Grange, Knowth agus Dowth. Luíonn an stair go láidir ar an gcontae ríoga seo — Teamhair, Taillteann, Sláine — go dtí na bailte cosúil le Ceanannus, Áth Troim agus An Uaimh. Bhí tithe móra na dtiarnaí talún ann freisin ar nós Slane Castle agus Summerhill.

I gConamara tá áilleacht eile le feiceáil — airde, loime, dánacht na mbeann, bláthanna ioldaite le feiceáil i ngach áit, caipíní agus fáinní ceo ar bharr binne thall agus abhus agus gleanntáin uaigneacha. Téann a ndraíocht i bhfeidhm ar chrá agus ar aigne na ndaoine. Ní éireoidh leat imeacht ó ghlór na farraige ná ó radharc na sléibhte. Is fíor go bhfuil an comhluadar i bhfad níos tábhachtaí i saol an duine ná an timpeallacht fhisiciúil ach tá sé soiléir go bhfuil ar chumas na timpeallachta dul i gcionn ar dhuine.

Freisin cé go raibh aicmí éagsúla le fáil sa chóras sóisialta san iarthar is léir nach raibh deighilt chomh mór san idir lucht an rachmais agus an íosaicme mar a bhí i gContae na Mí.

Bhí ganntanas daoine i ndeisceart na Mí agus easpa an chaidrimh shóisialta a fheictear i gConamara. Bhí saol sóisialta na Mí bunaithe go mór ar na bailte, an phictiúrlann, an halla damhsa agus an teach ósta. Thiar i gConamara bhí caitheamh aimsire an phobail bunaithe ar thinteáin an bhaile, scéalaíocht, amhránaíocht, ceol agus b'fhéidir braon beag poitín anois is arís. Dá bhrí sin bhí an chéad dream a tháinig aniar idir eatarthu. Choimeád siad greim ar an seansaol agus cultúr a sinsear ach bhí orthu déileáil leis an saol nua freisin a bhí in Áth Buí, sna siopaí agus san eaglais. Thángadar ó shaol ina raibh an-tábhacht leis an gcomhluadar agus gach ar bhain leis ach bhí saol príobháideach acu freisin — anois bhí gach a ndearnadar sna páipéirí — daoine ag teacht is ag imeacht, brú orthu forbairt cheart do dhéanamh ar na feirmeacha a fuaireadar agus daoine ag rá — "déan seo agus déan siúd".

Ach b'fhéidir go raibh scéal eile ag na gasúir a tháinig leis an

*Gasúir ó scoil náisiúnta Ráth Cairn i 1946.*

83

*Buachaillí agus fir óga Chonamara ag baint leas de chineál eile as páirceanna míne na Mí.*

gcéad dream. Rinne *Scéala Éireann* idirdhealú idir an dá dhream:

> "Acht féach na daoine óga — na fir óga go mór-mhór, gliondar atá orthu san a bheith ag imeacht soir — áit a bhfuil talamh agus táinte, áit a bhfuil saol níos fearr. Bocht mar shaol é an saol thiar, dar leo, dá dhícheallaí bheitheá. Níl an leath-sheans féin ag an duine thiar. Acht an saol úd thoir, is é a mhalairt sin ar fad é. Tigh agus treabhchas agus toradh fáchéad ar shíoltaibh na hithreach — sin é an saol go bhfuil an deallramh air."[26]

Bhí dar leis an nuachtán seo *El Dorado* sroiste ar deireadh thiar. Dar le Seán Ó Conaire — ba shaol nua dó féin an t-aistear agus an t-athrú. Bhí a mhuintir tuirseach den sclábhaíocht, den obair chrua gan teacht isteach sásúil acu. Tugann sé pictiúr breá dúinn den leaid óg ag dul amach an chéad mhaidin i Ráth Cairn ag cuartú cloch, ag féachaint ar an teach slinne dhá stór ar airde, fuinneoga breá, páirceanna curtha le coirce agus gach a raibh sa timpeallacht iontach seo.

Cé gur cheapadar go rabhadar sna flaithis leis an *ranch* a bhí faighte acu ní nach ionadh bhí údair ghearáin acu sar i bhfad. Fuair siad teach breá, 22 acra de thalamh maith, uirlisí feirme srl., ach bhí cúigear nó níos mó clainne ag beagnach gach éinne agus costais bhreise nach raibh thiar. Insíonn Criostóir Mac Aonghusa scéal faoin athrú meoin seo.[27] Nuair a taispeánadh ceithre pháirc d'fhear amháin ba leisean, ghabh iontas é agus dúirt, "Caithfidh sé go bhfuil *mistake* ann ní fhéadfadh an méid sin talún a bheith agamsa." Bliain ina dhiaidh sin agus an fear céanna thiar i gConamara bhí scéal eile aige, "Is iad na hacraí beaga a thug sibh dúinn agus ní hiad na hacraí móra."

In Aibreán 1937 bhí scéal faoi dheighilt i gCumann Fhianna Fáil Ráth Cairn san *Labour News* agus faoi bhunú craobh de Pháirtí an Lucht Oibre le 35 bhall[28]. San eagrán céanna den pháipéar liostáil oifigigh an pháirtí nua na fadhbanna a bhí acu. Bhíodar míshásta toisc go rabhadar scoite amach ó fheirmeoirí na Mí gan deis acu modhanna talmhaíochta oiriúnacha d'fhoghlaim — freisin ní raibh seans acu an Ghaeilge do leathadh toisc go rabhadar cruinnithe le chéile gan aon teagmháil acu leis an nGalltacht nó le gnáthchaidreamh sóisialta. B'iad sin aidhmeanna na scéime ón tús

26. Ibid.
27. Criostóir Mac Aonghusa, 'Gaeltacht Ráth Cairn, *Comhar* Aibreán, 1985. lch. 6.
28. *Labour News*, 3.4.1937.

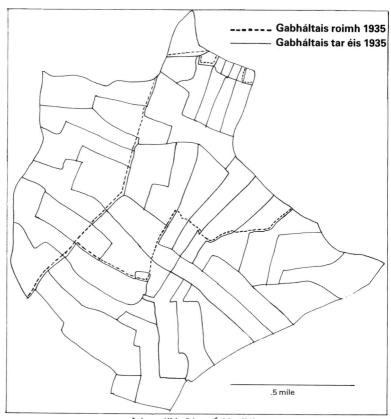

Léarscáil le Liam Ó Nualláin.

*Gabháltais i Ráth Cairn roimh agus tar éis 1935.*

ach dar leo ní fhéadfadh éinne iad do chomhlíonadh. Bhí gearáin ann faoin staid eacnamaíochta freisin. Bhí rátaí £5.19.6 sa bhliain agus teacht isteach bliantúil £8.15.0 ar gach feirm sa Mhí cé nach raibh ach 20/= agus rátaí 11/= le n-íoc i gConamara. Bhí córas leighis saor thiar ach ní raibh sa Mhí. Bhí orthu leasú do cheannach. Ag féachaint siar anois is léir nár tugadh a ndóthain talaimh do mhuintir Ráth Cairn — ach bhí an fhaillí seo le feiscint ar fud na tíre fré chéile. Dar leis an gCoimisiún sna blianta sin ba *'viable farm'* é 22 acra — le himeacht aimsire chuaigh an uimhir seo i méid ach ní raibh an giota talaimh a tugadh don chéad dream cosúil le tuarascáil seachtaine — ní raibh sé *index linked.*.

Is fíor nach raibh *El Dorado* sroiste ag muintir na Gaeltachta. Bhí deacrachtaí ag baint leis an bhfeirmeoireacht ar ghabháltais bheaga ó shoin i leith — tá cóimheasú uafásach déanta ar líon na bhfeirmeacha seo agus deineadh amhlaidh i Ráth Cairn.ˑ Is buntáiste suíomh na háite toisc an méadú ar chathair Bhleá Cliath agus an fhostaíocht atá le fáil ann. Is iad na máistrí scoile agus daoine mar sin — Mac Aonghusa, Ó Coisdealbha, Ó Cadhain a thosaigh an réabhlóid na blianta fada ó shoin. Sa deireadh thiar b'iad muintir Ráth Cairn féin a rinne an ghaisce. Tháinig siad agus bhí an Ghaeilge slán sábháilte ina measc agus tá croí na háite beo bríomhar i gcónaí. An ghlúin atá ag fás aníos is iad muintir na Mí iad, ach tá saibhreas cultúir a sinsir acu freisin. Siadsan atá ag baint an fhómhair a cuireadh i 1935.

## 5 Micheál Seoighe
*Múinteoir agus craoltóir de bhunadh Ráth Cairn*

# Ráth Cairn 1939-1967*

Faoin mbliain 1939 mar a léirigh Liam Ó Nualláin an tseachtain seo caite, bhí muintir Ráth Cairn agus Lambay socraithe síos i gContae na Mí. Sa léacht seo ba mhaith liom díriú ar chuid de na nithe a d'fhág a rian suntasach féin ar an áit agus a thug dúinn Ráth Cairn mar atá sé inniu.

Tríd is tríd beidh mé ag plé leis an tréimhse is suimiúla b'fhéidir dá bhfuil faoi scrúdú sa sraith léachtaí seo. An tréimhse atá i gceist ó thús an chogaidh i 1939, suas go dtí deireadh na seascaidí nuair a glacadh leis an mórchinneadh, dul ar aghaidh agus an Comharchumann a bhunú.

Is spéisiúil an tréimhse atá idir lámha mar a dúirt mé, mar go raibh Ráth Cairn sa tréimhse seo ar nós abhainn. Ag teacht óna cnoic i gConamara ina óige; ag fás go meánaois ar mhachaire na Mí agus ina sheanaois ag dul amach i bhfarraigí an Bhéarlachais, ag scaipeadh agus ag cruthú a chultúir agus a shaintréithe pearsanta féin.

Is féidir freisin Ráth Cairn a fheiceáil mar shaghas scáthán ar an tír sa tréimhse seo ach amháin b'fhéidir i rith aimsir an chogaidh, aimsir na héigeandála, nuair a bhí an ceantar ag déanamh sách

* Táim buíoch dóibh seo a leanas ar son na cabhrach a thug siad dom:
Pádraig Ó Catháin, Máirtín Ó Conaire, Seán Ó Conaire, Stiofán Seoighe, Micheál Seoighe, Marcas Ó Curraoin, Pádraig Mac Donncha, Maighréad Ní Éanaí, Ultan Mac Con Mhidhe, Seáinín Mac Donncha, Tomás Ó Ceallaigh.

maith i dtaobh caighdeán maireachtála agus slí bheatha dhe. Is leis an tréimhse seo a thosóidh mé.

Ar ndóigh is ar mhaithe leis an talamh a d'aistrigh muintir Ráth Cairn sa gcéad áit agus go dtí inniu féin, is as maitheas na talúna a bhaineann formhór na dteallach leas. Ní áit mhór curadóireachta a bhí i gContae na Mí. Ní hé go raibh locht ar bith ar an talamh, mar ní raibh. Ach ba feilméaraí móra is mó a bhí ag cur fúthu san áit agus is traidisiún stoc agus beithígh a bhí acu. A mhalairt iomlán d'oidhreacht a bhí ag feilméaraí Ráth Cairn.

Le cuidiú le muintir na Gaeltachta sna chéad blianta seo, bhí Pádraig Ó Gléasáin, Comhairleoir Talmhaíochta a bhí ar iasacht ó Roinn na Talún. Corcaíoch ab ea é agus bhí an Ghaeilge aige ó dhúchas. Tá an-mholadh ag dul dó ar son an méid a rinne sé do mhuintir na Gaeltachta sna blianta sin. Mhúin sé dóibh na bealaí ab fhearr le treabhadh agus an síol a chur i gceart. Ba é Pádraig freisin in éineacht le cuid de chomhairleoirí eile Choimisiún na Talún, a mhol gur cheart do gach dhá theaghlach dul ag obair le chéile, sa chaoi is go mbeadh comhoibriú i bpáirt idir na comharsana. Thóg siad isteach an féar i bpáirt; bhain siad an fómhar i bpáirt agus tharraing siad isteach é i bpáirt. Bhí an córas seo thar a bheith sásúil, mar ós rud é nach raibh ach capall amháin ag gach aon teaghlach, chiallaigh sé go raibh dhá chapall anois ag obair ag gach teaghlach.

Coirce, fataí agus cruithneacht a bhí á chur ag muintir Ráth Cairn. Ba rud nua dóibh an chruithneacht, mar is coirce agus fataí amháin, a bhí á chur ag an tromlach acu thiar i gConamara. Chuirfidís suas le dhá acra fataí agus bhí siad in-ann togha an bhairr a bhaint as seo — b'fhéidir suas le fiche tonna an t-acra. Ba mhór an feabhas é seo i dtaobh méadú ar an bhfás ach ar ndóigh bhí seantaithí ag muintir na Gaeltachta ar shíol agus sciolláin. Bhí siad ag díol na bhfataí seo le muintir na cathrach, sé sin le rá bhí Lance Brothers agus Muintir Lightfoot, ceantálaithe araon, á gcur ar fáil do phobal Bhaile Átha Cliath. Chuir na ceantálaithe seo na málaí chuig feilméaraí Ráth Cairn agus aon duine a raibh fataí le spáráil aige chuir sé ar ais iad go Baile Átha Cliath, ar an traein a bhí ag imeacht san am, ó Bhaile Átha Buí — an t-ionad eacnamaíochta ba ghaire do Ráth Cairn — níl sé ach trí mhíle ón áit. Níor chosain sé ag an am ach £3 le sé thonna fataí a chur go Baile Átha Cliath ó Bhaile Átha Buí. Stop an córas seo áfach, nuair a dúnadh an líne traenach ag dul thríd Áth Buí i 1949. As sin amach bhí sé ró-chostasach fataí a iompar go dtí an príomhchathair le leoraí ar aon nós, mar a fheicfimid bhí na modhanna feilméarachta i Ráth Cairn

*Ag treabhadh ar an mbealach nua.*

ag athrú faoin am sin.

Maidir le coirce, de ghnáth, chuirfí acra amháin de seo agus is mór an tábhacht a bhain leis mar bhí an coirce á úsáid le na caiple agus na muca a bheathú. Bhí muca ag os cionn 80% de mhuintir na Gaeltachta ag an am. Arís thosaigh siad leis an obair seo ar chomhairle Phádraig Uí Ghléasáin. Bhí an-tóir ar an bhfeoil seo, ar fud na tíre in aimsir na héigeandála. Thóg siad na muca isteach go hÁth Buí, uair sa mí ar chairt agus ar chapall. Dhíol cuid de mhuintir na Gaeltachta na muca díreach leis na búistéirí sa mbaile céanna, rud nach raibh ceadaithe. Chuir cuid acu fiú, muca go Port Láirge chuig monarchain Dennys.

Chuir siad suas le ceithre nó cúig acra cruithneachta agus bhíodar in ann é seo a dhíol le Muintir Newman in Áth Buí. Bhí agus tá fós, muileann ag an dream seo, agus bhí praghas maith le fáil dá mbeadh caighdeán ard ag do chuid cruithneachta. Ní nach ionadh thugadar aire mhaith di.

Léirítí an comhoibriú ab fhearr idir feilméaraí na Gaeltachta i Ráth Cairn i mí Meán Fómhair agus mí Deireadh Fómhair, nuair a thagadh an *thresher* ar an mbaile. Bhailíodh triúr nó ceathrar de theaghlaigh le chéile le obair na gcomharsan a chríochnú. Bheadh deichniúr fir ar a laghad ag teastáil le obair an *thresher* a dhéanamh. Is é mo thuairim féin go raibh cúis amháin le gur mhair an Ghaeltacht chomh fada seo agus is é sin an comhoibriú a bhí ann idir na daoine sna blianta tosaigh úd.

I rith na ndaicheadaí thosaigh go leor d'fheilméaraí Ráth Cairn ag tógáil talúna ar cíos taobh amuigh den cheantar. Bhí an talamh fairsing go maith ag an am agus an chúis a bhí leis ná an rialú a rinne an Rialtas go mbeadh ar gach feilméar an ceathrú cuid dá thalamh a chur. 'Séard a rinne feilméaraí na Mí, cé is moite de na feilméaraí beaga a bhí ina gcónaí thart timpeall na bportach, an talamh nó cuid de a ligean le feilméaraí Ráth Cairn. Lean siad féin ar aghaidh ag plé le stoc agus beithígh, mar ní raibh mar a dúirt mé cheana, traidisiún na curadóireachta acu. Bhí an talamh á ligean ar thada idir 10 scilling agus £2 an t-acra Éireannach. Ba leat an talamh sin ansin ar feadh aon mhí dhéag. Bhí dhá thoradh ar an scéal seo, ceann amháin acu, go maith, mar bhí muintir an iarthair agus muintir na Mí, anois ag obair le taobh a chéile. Thabharfadh an duine ónar thóg tú an talamh súil ar do bheithígh agus chuirfeadh sé scéala chugat dá mbeidís tinn nó gortaithe. Bhí siad ag obair in éineacht agus ag teacht ar thuiscint ar a chéile. Beidh mé ag plé leis an toradh eile a bhí ar an obair ar ball beag.

*Páirceanna na ngeataí. Ráth Cairn i 1935.*

Taobh amuigh den fheilméaracht bhí obair le fáil freisin ar na portaigh. Bhí Comhairle Chontae na Mí ag fostú daoine le móin a bhaint. Bhíodh an mhóin seo á díol ar fud na tíre mar ní raibh aon ghual ag teacht isteach ó Shasana mar gheall ar an gcogadh. Bhí pái mhaith le fáil ar an obair seo go mór mór acu siúd a bhí in ann an sleán a oibriú. Rinne lucht na mbarraí sách maith as freisin. Bhain cuid acu móin dóibh féin agus dhíol í go neamhspleách ar an gComhairle Contae. Bheadh teaghlach in ann suas le cúig nó sé de leoraíochaí móna a dhíol ach bhraith sé seo dáiríre ar an líon clainne nó ar an méid cúnamh a fuair duine.

Bhí obair le fáil freisin le cuid de na feilméaraí móra sa cheantar mar shampla Muintir Parr agus Muintir Walker. Bhí obair ag naonúr nó deichniúr leis an Seoigheach, fear ón iarthar a raibh idir 350 agus 400 acra aige. Obair shéasúrach a bhí i gceist ag cur agus ag obair leis an *thresher*. Bhí suas le deichniúr ag obair freisin sa mhuileann in Áth Buí, le Muintir Newman a luaigh mé thuas.

I rith an chogaidh freisin bunaíodh buíon den Fhórsa Cosanta Áitiúil i Ráth Cairn. Bhí os cionn deich nduine fhichead ón gceantar ann ag feidhmiú mar shaighdiúirí páirtaimseartha. Ní raibh aon phái le fáil acu, ach bhí péire bróga nua, cóta mór agus culaith airm. Is sa scoil a bhíodh siad ar paráid agus ag druileáil; go minic le muintir na Mí. Uair amháin chaitheadar dhá lá amuigh ar inlíochtaí san Abhainn Dubh i gContae an Chabháin ag faire ar Ghearmánaigh a tháinig san áit.

Ag deireadh an chogaidh áfach is ea a thosaigh fadhbanna agus trioblóidí an cheantair. Ós rud é nach raibh iallach ort níos mó, le deireadh an cogaidh, an ceathrú cuid de do chuid talúna a chur bhí an t-éileamh a bhí ar fhataí agus cruithneacht imithe agus ní raibh feilméaraí sásta níos mó talúna a ligean ar cíos. Is anois a thagann muid go dtí an dara toradh a bhí ar thalamh a thógáil ar cíos. Bhí taithí faighte ag cuid de na feilméaraí ar bheith ag obair le breis talúna ach ní raibh sé le fáil acu anois. Is ansin a thuigeadar go raibh na feilmeacha a fuaireadar ró-bheag an chéad lá ariamh.

Lena chois sin ní raibh níos mó oibre ar an bportach do na daoine óga nach raibh talamh acu. Ní raibh níos mó oibre leis na feilméaraí móra mórthimpeall ach an oiread. An t-imirce an t-aon réiteach a bhí ar an scéal.

Tháinig athrú meoin ar na feilméaraí sa Ghaeltacht freisin. D'éirigh go leor as an gcur agus d'iompaigh siad ar an mbainne; bhí an talamh anois ag teastáil ó bheithígh. I 1952 tháinig an leictreachas agus bhí solas agus uisce ar fáil dóibh siúd a raibh siad uathu. Rinne sé seo obair bhainne i bhfad níos éasca. Bhí cuid mhaith teaghlach ag cur bainne ar leoraíochaí go Baile Átha Cliath, go *Dublin Dairies* agus *Lucan Dairies*. Faoi 1957 nuair a d'oscail an Comharchumann Bainne i mBaile Átha Buí bhí beagnach gach teaghlach iompaithe ar bhainne. Bhíodar ag teacht isteach ar thraidisiún talmhaíochta na Mí.

Mar athrú ar théama na léachta is féidir a rá gur mhair go leor de na seantraidisiúin shóisialta a bhí acu thiar, suas go dtí na seascaidí. Bhíodh céilí acu uair sa mhí sa halla in Áth Buí. Chomh maith leis sin bhíodh oícheantaí airneáin acu go minic sna tithe sa cheantar. Chuidigh na hoícheanta seo go mór le muintir an cheantair aithne níos fearr a chur ar a chéile, agus ar na carachtair áirithe a bhí ag maireachtáil san áit. Ar ndóigh bhí a sheanchas féin ag baint le cúrsaí talmhaíochta. Ceann de na scéalta is greannmhaire a chuala mé féin is faoi fheilméar ón áit é a bhí ag treabhadh le dhá chapall bhreaca. Tháinig beirt dá chomharsanaí ar cuairt chuige. Cheap duine de na cuairteoirí go mbeadh roinnt spóirt aige ar an bhfear a bhí ag treabhadh.

"Cén uair a bheidh an siorcas ag tosú?" ar seisean.

Ní raibh an abairt ach críochnaithe aige nuair a fuair sé freagra, "Ní fada anois, tá an bheirt *clown* tagtha."

Bhíodh oícheantaí scéalaíochta acu freisin, idir scéalta fiannaíochta agus scéalta grinn. Ní mór a lua freisin go bhfuil triúr de na scéalaithe seo fós beo, i Ráth Cairn, Seán Ó Conaire a dhearthár Máirtín agus Stiofán Seoighe. Thóg muintir Ráth Cairn na setanna agus na seanamhráin aniar leo freisin. Tá siad seo fós beo bisiúil san áit. Ach má bhí rudaí go dona óna caogaidí ó thaobh cúrsaí eacnamaíochta dhe, sheas institiúid amháin amach i Ráth Cairn mar lonradh gréine a chaomhnaigh an cultúr traidisiúnta san áit; sé sin an scoil. Bhí na scéalta agus na hamhráin á mhúineadh ag Seán Ó Coisdealbha agus go mór mór ag a bhean Íde. Lena chois sin bhíodh drámaí i nGaeilge á léiriú acu go rialta. Thóg siad páirt san Oireachtas agus i bhFeis na Mí, agus i mórán comórtaisí eile nach iad. Bhí meas ar na páistí scoile seo ar son an chaighdeáin ard a bhí acu i ngach gné de shaol sóisialta na Gaeltachta. Lena chois sin bhí an tUasal Pádraig Midléir ag déanamh sár-obair ag múineadh damhsa.

Mhair an tseanbhainis isteach go dtí lár na seascaidí chomh maith, ach amháin nár deineadh aon chleamhnas san áit ariamh. Tar éis an phósta bhíodh an bhainis de ghnáth i dteach an fhir, ní hionann agus an bhainis i gConamara. Bheadh damhsa agus ceol

*Ag cur isteach fhéir i Ráth Cairn sna tríochaidí.*

*An chéad ghlúin. Pictiúr a tógadh i 1935. Ó chlé, Colm Ó Gríofa, Seán Ó Catháin, Micheál Seoighe, Micheál Óg Ó Conaire, Micheál Ó Conaire agus Pádraic Ó Conaire.*

traidisiúnta ann agus mar a dúirt duine amháin ar labhair mé leis, ní bheadh deireadh leis an oíche "go mbeadh *dash* mhór ólta ag chuile dhuine." Bhíodh uirlisí ar nós an mileoidean agus an *mouth organ* acu freisin agus chantaí fiú cúpla bailéad Béarla.

Ní bhíodh mórán óil, áfach, taobh amuigh den bhainis, an tórramh agus aimsir an *thresher*. Is annamh a bhíodh ól ar oíche airneáin agus ar lá aonaigh den chuid is mó a théadh na daoine isteach i dteach tábhairne. Is aisteach an rud é ar bhealach, ach tá an raidió, an meán cumarsáide céanna ar a bhfuilimse ag labhairt air anois ar cheann de na rudaí a chuir deireadh leis an oíche airneáin.

Maidir le háit bheag ar bith faoin tuath bíonn tábhacht ar leith ag baint le cúrsaí creidimh. I Ráth Cairn bhíodh aifreann Ghaeilge ann uair amháin sa bhliain, ar Lá Fhéile Pádraig. Bhíodh na stáisiúin sna tithe dhá uair sa bhliain — Samhain agus Bealtaine. Bhíodh na stáisiúin i mBéarla le cúpla paidir i nGaeilge, curtha isteach. Tháinig an tseirbhís seo ó gach séiplíneach a bhí in Áth Buí agus Cill Bhríde. Bhí cuid acu níos fearr ná an chuid eile ach bhí an Ghaeilge gann acu. Dáiríre ní raibh suim dá laghad ag aon sagart paróiste sa Ghaeilge agus ba chuma leo, í a bheith ann nó as.

Sin mar a sheas rudaí gur tháinig athrú ar an scéal nuair a ceapadh an tAthair Liam Ó Muircheartaigh mar shagart cúnta ar Áth Buí agus bhain cuid dá chuid oibre siúd le Ráth Cairn chomh maith. Chaith sé ocht mbliana déag ag freastal ar mhuintir Ráth Cairn, an Ghaeilge go líofa aige, suim aige inti agus fíormheas aige ar na daoine. Rachadh sé timpeall ar na tithe go rialta agus é ag labhairt go hiomlán i nGaeilge i gcónaí. Is é a thosaigh ar aifreann a rá trí Ghaeilge sa scoil uair sa mhí, ar lá den tseachtain, ar an Aoine nó ar an Satharn.

Nuair nach raibh an tAthair Ó Muircheartaigh in ann freastal, thosaigh an tAthair Ó Fiaich (an Cairdinéal) ag teacht as Má Nuad in éineacht leis an Athair Pádraig Ó Fiannachta agus leis an Athair Pádraig Ó Héalaí, ag léamh Aifreann ar an Domhnach tar éis am lóin. Bhíodh scoláirí in éineacht leo go minic agus ceol is amhráin tar éis an Aifrinn. Sin mar a bhí an scéal go dtí gur tógadh an halla nó an tÁras Pobail agus ó 1975 i leith tá an tAthair Pádraig Ó Gibealláin ag freastal ar na daoine.

Deireann Pádraig Mac Donncha, Bainisteoir Chomharchumann Ráth Cairn: "I dtús na seascaidí thosaigh athrú meoin sa Ghaeltacht seo, bhí an imirce ag cúlú . . . (agus) thosaigh na daoine á n-eagrú féin[1]." Is aige a bhí an ceart, ag tús na seascaidí bhí líon na ndaoine

---

[1] *Comhar,* Aibreán 1985, lch. 9.

i Ráth Cairn laghdaithe go mór. Bhí 50% díobh fós i Ráth Cairn, 20% ag obair ar fud na hÉireann, 20% eile ag obair i Sasana, 9% i Meiriceá agus 1% san Astráil. Má bhí Gaeltacht Ráth Cairn le feidhmiú mar Ghaeltacht bhí aitheantas ag teastáil uaithi ní amháin ar son na mbuntáistí eacnamaíochta a chuaigh leis an aitheantas sin ach chun spiorad na ndaoine a láidriú chomh maith.

Bhí sé aitheanta ag Comhairle Chontae na Mí mar Ghaeltacht cheana féin, mar sin é an teideal a bhí acu ar na comharthaí bóthair. Freisin bhí na páistí scoile ag fáil deontas £2, ach mar is gnáth le cúrsaí maorlathais bhí an Rialtas in ann a rá gur bhain sé sin le cúrsaí oideachais — ag gearradh coirnéil ar na rialacha is dócha, mar a dhéantar fós. Caithfear a thuiscint go ndeachaigh an feachtas le haghaidh aitheantas Gaeltachta a fháil lámh ar láimh leis an bhfeachtas chun na feilmeachaí a mhéadú.

Thug mé leid cheana féin go raibh deireadh ag teacht leis an bhfeilméaracht thraidisiúnta. Bhí na feilméaraí anois ag plé le bainne agus ní raibh a ndóthain talúna acu i 22 acra. Bhí deireadh leis an gcur agus bhí an Ghaeltacht i mbaol. Bhí sí tar éis maireachtáil chomh fada sin ar mhisneach agus ar cheannas na ndaoine agus ar an gcabhair iontach agus an sampla breá a fuair na daoine óga sa scoil. Bhí an spiorad íseal ach bhí rosc catha deireanach fágtha ag na daoine chun an áit a shábháil.

Bhí daoine éirimiúla sa cheantar féin ar nós Seosamh O Méalóid agus an tArd-Mháistir nua Niall Mac Suibhne. Bhí dream eile chomh héirimiúil céanna i mBaile Átha Cliath, Dónall Ó Móráin, Pádraig Mac Donncha, Domhnall Ó Lubhlaí agus go leor daoine eile nach iad. Bhí an dream seo ag scríobh litreacha chuig Roinn na Gaeltachta agus Conradh na Gaeilge ag iarraidh orthu brú a chur ar an Rialtas cabhrú leis an áit.

Roimh an toghchán i 1965 bhí feachtas ar bun ní amháin i Ráth Cairn ach ar fud na tíre gan vótáil muna mbeadh aitheantas agus cabhair éigin ag teacht ón Rialtas. Bhí páirt ag Máirtín Ó Cadhain, Breandán Ó hEithir agus Mairéad Nic Dhonncha sa bhfeachtas seo. An rosc catha a bhí acu; "Vótáil do Ráth Cairn; ná vótáil ar chor ar bith!" Mar a dúirt Nollaig Ó Gadhra ag scríobh dó san *Irish Independent* i 1966:

"I ndáilcheantar na Mí, áit a bhfuil na páirtithe cothrom go maith, d'fhéadfadh vótaí Ráth Cairn suíochán a buachan nó a chailleadh do dhream éigin!²"

² *Irish Independent*, 29/11/66.

Bhí grúpaí éagsúla ar fud na tíre a thug tacaíocht don bhfeachtas seo. Ba cheart mic léinn Ollscoil Chorcaigh agus dream Gaeilgeoirí i gContae Luimnigh a lua go háithrid.

I 1967 an bhliain chéanna a bhuaigh Máirtín Ó Cadhain an duais Gael-Mheiriceánach leis *An tSraith ar Lár* agus bhuaigh duine ó Ráth Cairn, Micheál Ó Méalóid bonn sa pheil le Contae na Mí in aghaidh Chorcaigh, tháinig Pádraig Ó Fachtna, Rúnaí Parlaiminte Aire na Gaeltachta go Ráth Cairn. Bliain roimhe sin i 1966 tháinig Craobh Cearta Ráth Cairn ar an bhfód agus is as sin a d'fhás an Comharchumann mar atá sé againn inniu, is leis an Rúnaí Uasal áfach a fhágfaidh mé an focal deireanach in óráid a thug sé an oíche sin, sa scoil ar ndóigh, dúirt:

"Ní raibh sé éasca acu scaradh ón bhfód dúchais agus lena gcairde gaoil tríocha bliain ó shin, chun teacht anseo agus ní gan dua a chruthaigh siad timpeallacht Ghaeltachta as an nua dóibh féin agus dá muiríneacha anseo i gContae na Mí. Is ar an ábhar sin uile a deirim go bhfuil gaisce déanta ag na daoine a tháinig anseo . . . Bí cinnte gur ábhar mór bróid dóibh aitheantas a bheith faighte acu, mar Ghaeltacht."

*Dónall Ó Lubhlaí le rang Gaeilgeoirí sa mbliain 1976.*

99

**6** *Nollaig Ó Gadhra*
*Iriseoir agus léachtóir i gCeardcholáiste Réigiúnach na Gaillimhe.*

# Gaeltacht Ráth Cairn: An pholaitíocht agus na meáin chumarsáide

Cé gur féidir a rá, dar liom, go raibh pósadh dlisteanach idir leas Ghaeltacht Ráth Cairn agus leas chúis na hathbheochana le brath sa nua-ré a bhaineann le scéal na cóilíneachta, le scór bliain anuas abair, caithfear cuimhneamh go raibh polaitíocht níos leithne ag baint leis an gcinneadh chun an áit a bhunú, ar an gcéad dul síos, siar i 1935.

Tá cuid den chúlra staire agus polaitíochta sin pléite ag léachtóirí eile. Ach deimhníonn tuairiscí nuachtán na linne go mba chuid í an athphlandáil Ghaeltachta ar thailte méithe na Mí, d'aisling níos leithne a bhí á craobhscaoileadh ag Fianna Fáil agus ag de Valera ag an am. Cuimhnigh go raibh seasamh Fhianna Fáil in aghaidh na ndleachtanna talún a bhí á n-íoc i gcónaí ag Cumann na nGaedheal le Sasana, ar cheann de na pointí difríochta ba mhó a chabhraigh le de Valera teacht i gcumhacht sa bhliain 1932. Mheall an cogadh eacnamaíochta a lean ó chur i bhfeidhm an pholasaí seo, pócaí áirithe tacaíochta ó dhreamanna níos raidiciúla a bhain leis an eite chlé, lucht leanúna Pheadar O'Donnell mar shampla, fiú má bhánaigh an cogadh eacnamaíochta céanna go leor de mhuintir na tuaithe a vótáil dó. Ní gá a rá gur mó an tacaíocht a fuair Fianna Fáil ó na feirmeoirí beaga ná na feirmeoirí móra sna cúrsaí seo, ní amháin toisc gur lú de mhaoin an tsaoil a bhí le cailliúint ag na fir bheaga ar aon nós, ach freisin mar go raibh polasaí leasúcháin talún de Valera, fite fuaite le hiarracht bhreise chun tuilleadh daoine ó na ceantair ba bhoichte, na seancheantair chúnga d'fhéadfá a rá, a lonnú ar eastáit in oirthear na tíre, agus cur le líon na dteaghlach ar an talamh, trí chláir éagsúla Choimisiún na Talún. Bhí nuachtáin na linne lán de chaint den chineál seo, agus cé gur dhiúltaigh Fianna Faíl do pholasaithe náisiúnaithe talún, mar a mhol an eite chlé go rialta, ba leor an roinnt níos cothroime, agus an athphlandáil ar eastáit, le tromlach na vótaí tuaithe a mhealladh.

Bhí gné eile d'aisling de Valera sna blianta seo áfach a raibh baint aige leis an náisiúnachas, leis an rómánsaíocht b'fhéidir, agus leis an "bPoblachtachas" fiú amháin, más aon teist í an tacaíocht a fuair an athroinnt ó chuid de na nuachtáin a bhí ag Gluaiseacht na Poblachta féin. Samhlaíodh an athphlandáil seo in intinn an phobail mhóir mar bheart polaitíochta a raibh sé mar aidhm aige mallacht Chromail a chur ar cheal. Bhí athghabháil, cealú na bplandálacha, Iosrael nua cois Bóinne, mar chuid de mheafair na linne. De réir na scéimeanna nua a bhí ag Fianna Fáil, bheadh clanna Gael ag dul thar Sionainn soir, ag athphlandáil na talún a baineadh óna sinsir le láimh láidir, ach a bhí á fáil ar ais anois ag cuid acu, a bhuíochas sin d'Fhianna Fáil! B'fhéidir go bhfuil sé deacair cuid den chaint aislingiúil seo a chreidiúint sa lá atá inniu ann, go háirithe nuair a chuirtear laghad na réabhlóide sóisialta a cuireadh i gcrích, san áireamh, agus nuair a tháinig go leor de mhuintir na Gaeltachta ar an intinn, le himeacht ama, gur fearr an dul chun cinn a rinne na daoine a d'fhan sa bhaile, trí stocaireacht agus obair Roinn na Gaeltachta ná an dream a fuair feirmeacha i gContae na Mí, feirmeacha a measadh a bheith ró-bheag ar fad tar éis achair gheairr.

Ach mallacht Chromail an mana polaitíochta agus agóidíochta a bhí ann ag an am a cuireadh tús leis na cóilíneachtaí. Tá sé le léamh mar cheannlíne ar an gcéad leathanach de *An tÉireannach* páipéar Gaeilge na linne, ar an 26 Eanáir, 1935, mar a luaitear an rogha dúshlánach "Éire na mBullán nó Éire na nGaedheal?" — port eile a bhí ina ábhar conspóide polaitíochta ag an am. Ar an gcéad leathanach céanna, tá grianghraf d'fhir an iarthair "ag siúl thart ar thaltaí na Mídhe" agus ceann eile fós de "Oifigigh Mhuinntir na Gaedhealtachta i gConamara" agus "Máirtín Ó Cadhain, Stiúrthóir", go feiceálach ina measc.

Ní minic a ritheann sé linn inniu, b'fhéidir, nuair a thráchtar ar Mháirtín Ó Cadhain sna laethanta úd, nach Ollamh Ollscoile ná go deimhin scríbhneoir mór le rá a bhí ann san am. Ball gníomhach de Ghluaiseacht na Poblachta a bhí ann, ag am nuair a bhí an Ghluaiseacht chéanna go mór faoi amhras ag Fianna Fáil cheana féin, cé go raibh comhchás in aghaidh na Léinte Gorma ag an dá dhream le cúpla bliain roimhe sin, agus go nglactar leis go raibh fáilte áirithe ag cuid de mhuintir Fhianna Fáil roimh an mbrú ón eite chlé a bhí ar chumas an IRA a chur ar an rialtas, le linn an ama. Tá sé suimiúil go ndeir an cuntas ar chéad leathanach *An tÉireannach* gur thug an slua ó Chonamara cuairt ar Chnoc na Teamhrach, agus ar na ceantair shaibhre talún eile thart air. Agus nuair a shroicheadar Áth Buí ar a gcuid rothair, "chuir Séamas MacFhinn, Mac Uí Mhuireadhaigh agus Labhrás Scorlóg, thar ceann sean-saighdiúirí na Poblachta i gContae na Mídhe, na mílte fáilte rompu go dtí Gaedhealtacht na Mídhe."

Tá cur síos sa pháipéar faoi mar a chonaic na daoine ó Chonamara, ó bharr Chnoc Teamhar na Ríogh "talamh a sinnsear — gan cur, gan treabhadh, gan dé, gan deatach." "Éire na mbullán", a thug Máirtín Ó Cadhain air seo, a deirtear. Deir an tuairisc freisin gur labhair sé leis an slua agus dúirt "go mba iad Éire na nGaedheal, ach go raibh siad ag féachaint timpeall orthu ar Éire na mbullán. Dúirt sé nár ghá dósan a thuilleadh a rádh leo, gur thuigeadar féin céard a bhí uathu — a gceart do thaltaí míne na hÉireann, agus deire a chur le Éire na mbullán; mara ndéantaí sin as réiteach, go gcaithfidís é a dhéanamh gan bhuídheachas."[1]

Tá go leor de bhlas raidiceach na tréimhse le blaiseadh ar an gcuntas seo, sa nuachtán Gaeilge a bhí ann ag an am, agus é ceangailte go dlúth, mar is léir, le ceist na talún go ginearálta agus dearcadh Fhianna Fáil ar an gceist. Bhí an blas céanna ar an gconspóid a bhí ann cheana, laistigh d'Fhianna Fáil féin, rud a bhí le feiceáil go han-soiléir ag Ardfheis an pháirtí i mí na Samhna 1934 nuair a d'fhógair an Seanadóir Seosamh Ó Conghaile, Aire Tailte, bunú na scéime Gaeltachta i gContae na Mí. Bhí cuntas mór maith ar an mbeart ar *Scéala Éireann* den 15ú Samhain, 1934, agus is léir go raibh scéal na talún ar cheann de mhórcheisteanna na Gaeltachta, dar leis an rialtas ag an am.

Tar éis dó a rá go neamhbhalbh, mar shampla, gur tugadh an tAcht um Chúnamh Dífhostaíochta — an *dole* — isteach "largely because of the economic conditions in the Gaeltacht", rinne an Seanadóir Ó Conghaile an fógra faoi Chontae na Mí, agus thug le fios go mbeadh 27 dteaghlach á n-aistriú soir "from one particular end of the Gaeltacht", mar go raibh sé riachtanach, dar leis, má bhí i ndán is go dtiocfadh an chóilíneacht slán mar phobal Gaeilge, "the

1. *An tÉireannach*, 26/1/1935.

migrants must have the sense of neighbourhood around them".[2]
Dúirt an tAire Tailte san óráid chéanna go raibh deacrachtaí
móra ag baint le scéim ar leith den chineál a bhí fógartha aige. I
measc na ndeacrachtaí a bhí ann, dar leis, bhí leisce mhuintir na
Gaeltachta féin na pobail thraidisiúnta a fhágáil. Ach dúirt sé freisin
"that the rich midlands must contribute their quota of land for the
people who had not the means of living in the west."[3] Níl a fhios
agam an ar lucht na bhfeirmeacha móra, lucht na n-eastát, a bhí an
chaint seo dírithe, nó ar fheirmeoirí níos lú i gContae na Mí, go leor
acu i bhFianna Fáil, nár thuig cén fáth nach mbeadh oiread ceart acu
féin ar chuid den talamh a bhí ag imeacht, is a bhí ag clann na gclann
a dhíbir Cromail go Connachta? Ar chuma ar bith, ag tagairt do
chruachás fheirmeoirí beaga na Gaeltachta, dúirt an tAire leis an
Ardfheis, "that it was their intention to take a proportion or a slice
out of every bit of land in all counties that had land to spare.[4] Ní léir,
ón óráid, cad é, go díreach, a bhí i gceist anseo, ach is fiú a lua gur
ghlac an Ardfheis le rún ag cáineadh na moille a bhí, a dúradh, le
roinnt na talún ag an am.
Thug an tAire Ó Conghaile léiriú níos fearr ar a intinn b'fhéidir,
nuair a d'eisigh sé ráiteas i mí na Bealtaine, 1935, le comhairle a
chur ar an gcéad lucht cóilíneachta a bhí ag cur fúthu i gContae na
Mí faoin am sin. Tá an scéal, mar a chonaic an tAire é, leagtha
amach go mion faoin teideal "An Roinn Tailte agus An Imirce —
Comhairle a Leasa do Ghaedhil" ar leathanach 5 de *An tÉireannach*
den 18 Bealtaine, 1935. Dúirt an tAire Ó Conghaile leis an dream a
bhí ag cur fúthu i Ráth Cairn ag an am (ach go dtugtaí cóilíneacht
Átha Bhuí uirthi coitianta de réir cosúlachta):

Sé mian na Roinne go gcloidhfidís lena ngnáthshaoghal agus le obair na
feilme chomh luath agus is féidir é. Ní as tír iasachta a thrialladar, agus
ní go tír iasachta a tháingeadar, acht achar beag aniar, chomh fada le
talamh maith, áit ar féidir leo an talamh a shaothrú agus beatha a chur
ar fhágail, agus a muirghineacha agus an margadh dúthchais a riar.[5]

Tugtar le fios ag deireadh an ráitis fhada, ina bpléitear "Cuspóir na
hImirce" agus "Dualgas na Cóilíneachta i leith na Gaeilge", freisin,
go bhfuiltear "ag réidhteach le tuilleadh cóilíneachta den tsaghas

2. *Scéala Éireann*, 15/11/1934.
3. Ibid.
4. Ibid.
5. *An tÉireannach*, 18/5/1935.

céadna a chur ar bun, agus beidh ceann aca seo, ar a laighid, i bhfad níos mó ná cóilíneacht Átha Bhuidhe." Tá blas cúramach na Roinne, dar liom, le blaiseadh cheana féin, nuair a deirtear go bhfuiltear ag beartú "muirghineacha arb í an Ghaedhilge a dteanga teallaigh a aistriú go dtí an chóilíneacht seo, as áiteacha den Ghaedhealtacht, mar atá, Tír Chonaill, Muigh Eo, agus Ciarraidhe."

Deirtear freisin sa ráiteas gur féidir caidreamh a bheith idir pobal úr Ráth Cairn "agus na daoine, acht corr-chéilídhe, iománaidheacht, peil agus caitheamh aimsire a chur ar bun fé stiúradh ceart Gaedheal ughdarásacha i mBaile Átha Cliath agus in áiteacha eile; agus tá an méid sin á dhéanamh cheana féin le go dtuigfidh an dream a tháinig ón nGaedhealtacht gur i measg a ndaoine féin agus i measg cairde a tháingeadar."

Ar leathanach 4 den eagrán céanna (leathanach an eagarthóra) de *An tÉireannach* pléitear dearcadh an Aire agus an rialtais maidir leis an Iosrael nua seo atá á bunú i gContae na Mí, faoin teideal "Cóilíneacht Rátha Chairn". Deirtear nár cheart ráiteas an Aire a ligean thar a gcluasa, gur cheart machnamh a dhéanamh ach go háirithe ar a bhfuil ráite aige faoi aistriú achar beag aniar, i measc a muintire féin, cé go leagtar béim freisin ar an ngá atá le dílseacht don Ghaeilge ina measc. Deirtear:

> Más fíor gach sgéal, ó leag muinntir na Gaedhealtachta cos ar thalamh Chonndae na Mídhe, agus ar shíleadar cur futha ins na feilmeacha a cuireadh i n-áithrid dóibh, tá siad bainte, buartha, gan suaimhneas ná foras de bharr a bhfuil de dhaoine ag triall ortha ó Bhaile Átha Cliath agus ó áiteacha eile. Shílfeadh aon duine gur fhás na daoine agus an chóilíneacht as an talamh aníos, nó gur as Tír na n-Ionghantas a bhí triall na sluaighte, mar a bhí, agus mar atá, ó shin i leith. Níl muid ag rádh nach le croidhe mór maith a thriall cuid acu ar mhuinntir na Gaedhealtachta, acht mar sin féin, ní féidir linn ár súile a dhúnadh ar an dochar a d'fhéadfaidís a dhéanamh, i ngan fhios dóibh féin b'fhéidir.[6]

Seo, de réir cosúlachta, an dearcadh a bhí ag gluaiseacht na Gaeilge — más ceadmhach *An tÉireannach* a lua mar chuid den Ghluaiseacht sin ag an am — faoi chaidreamh a cheangal le pobal Ráth Cairn ag an am. Cinnte, is mór an t-athrú atá tagtha ar an saol. Mar thaca leis an tuairim sin, ní gá a lua ach an mionfhógra atá ar an leathanach eagarthóra céanna ag tairiscint lóistín i nGaeltacht

6. Ibid.

Chiarraí — "biadh ar fheabhas, snámh, farraige, féile agus Gaedhilge. Gach eolas ó Phádraig Ó Catháin, an Blascaod Mór!"[7]
I measc na nithe nach mbeidh deis againn trácht a dhéanamh orthu anseo, tá an aird, nó an neamhaird b'fhéidir, a thug na páipéir áitiúla ar thréithe speisialta na bpobal Gaeltachta a bhunaigh Coimisiún na Talún ina measc i gContae na Mí, ach freisin i gContae Chill Dara agus i gCill Mhantáin fiú, le leathchéad bliain anuas. Ba cheart a rá, mar sin féin, gur thug an *Meath Chronicle* seirbhís mhaith don phobal i gcaitheamh na mblianta, aon uair a míníodh go raibh scéal ann le hinsint, agus cé go raibh traidisiún láidir na seannuachtán ó aimsir Home Rule le cur díobh chomh maith le go leor eile, go bhfuil sé ina thaca maith ag cás Ghaeltacht na Mí ó tosaíodh an iarracht chun aitheantas oifigiúil a bhaint amach di breis is fiche bliain ó shin., Tá cuntas sa *Meath Chronicle* céanna ar theacht mhuintir na Gaeltachta go Ráth Cairn, agus ar an bhfáilte mhór thaibhsiúil a bhfuil tagairt ag *An tÉireannach* dó, agus comhairle a leasa á chur ag eagarthóir an pháipéir ar lucht a eagraithe. Tá corrlitir le fáil sa *Chronicle* ag an am, le daoine gan ainm de ghnáth, ag cur in aghaidh aistriú an lucht Ghaeltachta, cuid acu sar ar leag pobal Ráth Cairn cos ar thalamh na Mí, agus iad uilig, nach mór, ag lua go raibh dóthain daoine i gContae na Mí féin a raibh géarghá acu le talamh. Tá cuntas sa *Chronicle* ar an raic a tharla ag tús mhí na Samhna 1935, nuair a thug cuid de mhuintir na Mí le fios, ar bhealaí a bhí gránna go leor, nach raibh mórán fáilte roimh mhuintir Chonamara.

Dóibh siúd a bhfuil spéis acu san ábhar ní miste a lua go bhfuil cur síos nach beag le fáil ar na heachtraí a bhain le bunú Ghaeltacht Ráth Cairn le fáil i dtráchtas a scríobh Bríd Ní Chinnéide do chéim Thíreolaíochta i gColáiste na hOllscoile, Baile Átha Cliath, i 1968. Faoin am sin, ar ndóigh, bhí scéal Ráth Cairn go mór sa nuacht agus aitheantas mar Ghaeltacht oifigiúil bainte amach ag cóilíneachtaí na Mí, ó mhí Mheán Fómhair, 1967 i leith. Chuir Des Maguire, iriseoir de bhunadh Chontae Chill Dara, a bhí ag obair le *Scéala Éireann* ag an am sin, agus atá ina Eagarthóir Nuachta ar an *Irish Farmers' Journal* faoi láthair, cóiriú iriseoireachta ar a raibh d'eolas sa tráchtas, agus foilsíodh an toradh mar shraith sé halt i mBéarla faoin teideal ginearálta "The Meath Experiment" ar *Scéala Éireann,* ag deireadh mhí Eanáir, 1969.[8] Féach, mar shampla, an

7. Ibid.
8. *Scéala Éireann,* 27 Eanáir — 1 Feabhra, 1969.

'The Meath Experiment'. Altanna le Desmond Maguire ar **Scéala Éireann.**

106

méid seo, sa dara halt díobh seo, faoi na cuntais a foilsíodh faoi theacht mhuintir Chonamara go Ráth Cairn ar an *Meath Chronicle* ag an am:

> Members of the Athboy branch of Conradh na Gaeilge had organised a hurling match to entertain their new neighbours, and in a touching ceremony, Mr. Peadar Ó Máille, Secretary of the local branch of An Fáinne, addressed the newcomers. He said he was glad to welcome the people of Connemara back to the lands of Meath, from which their forefathers were banished. He hoped that they would stick to their language and culture and that they would show the people of the English-speaking areas what Gaelic civilisation really was.[9]

Fúthu féin a bhí sé, a dúirt an Máilleach, a chruthú go bhféadfaidís talamh na Mí a oibriú go héifeachtach agus cabhrú de réir a chéile le Gaelú Chontae na Mí. Tuairiscíodh freisin:

> The president of the Athboy Boy's Club, Mr. Philip O'Neill, in seconding the words of welcome, pointed out that 'the dream of their illustrious townsman, Fr. O'Growney, and of Davis and Pearse and all Ireland's glorious dead would be realised at Athboy and that the Irish language would be heard in college, mart and hall.[10]

Ba mhór idir an fháilte seo a chuir lucht na hathbheochana roimh mhuintir Chonamara, agus a ghlac leis, mar is léir, go mba chuid d'iarracht athbheochana na teanga a bhí sa bheartas ar fad, agus na litreacha a bhí á scríobh chuig an *Meath Chronicle,* cuid acu sar ar leag duine ar bith cos ar thalamh na Mí. Ba léir gur spreag an chaint ghaisciúil a rinne na polaiteoirí ó aimsir Ardfheis Fhianna Fáil, i mí na Samhna, 1934 i leith, freagraí de chineál eile i gcuid de mhuintir na Mí féin. Mar shampla, an méid seo a leanas:

> I wonder are the Meath folk asleep or are they prepared to be driven as sheep? Their birthright is being filched from them to help in the spoon-feeding of that section of our people, who seem to be only capable of sponging on the remainder of the community. These people are actually paid for sending their children to school, and the same children get preference over ours in examinations, scholarships and employment. Wake up, remember we have uneconomic holdings of our own.[11]

9. *Scéala Éireann*, 28/1/1969.
10. Ibid.
11. Ibid.

Níl am anseo, ach an oiread, plé a dhéanamh ar fhíricí na n-eachtraí éagsúla a tharla ó bunaíodh na cóilíneachtaí, ar na laigí agus na deacrachtaí a bhí leis na scéimeanna, agus cé mar a shocraigh pobal na Gaeltachta a mbealach féin sa saol ón uair a shocraigh siad síos i gContae na Mí. Ach is féidir a rá, dar liom, go ndeachaigh an díograis i bhfuaire, go ndeachaigh an dá chóilíneacht a bunaíodh mar chóilíneachtaí Gaeltachta ar chúl, agus gur beag ar fad cúnamh stáit a bhí ar fáil dóibh faoi cheannteideal ar bith seachas scéim an £2.00 — deontas labhartha na Gaeilge. Bhí an scéim seo á riaradh ag an Roinn Oideachais ag an am, agus aitheantas ag an mbunscoil mar bhunscoil Ghaeltachta.

Ach ní raibh cúnamh ar bith le fáil ó Roinn na Gaeltachta, tar éis a bunaithe mar Roinn ar leith sa bhliain 1956 fiú amháin, mar ní raibh aon aitheantas mar cheantar Gaeltachta tugtha do cheantar ar bith i gContae na Mí nuair a leagadh amach na limistéir oifigiúla sa bhliain sin. Tá cáil fós ar fhlaithiúlacht na dteorainneacha a leag Roinn na Gaeltachta amach ag an am, faoi cheannas P.J. Lindsay, go háirithe ina chontae dúchais féin i Maigh Eo, ach freisin i dTír Chonaill agus sa Mhumhain. Faoi thús na seascaidí, ba léir go raibh Baile Ghib in ísle bhrí, ach nach raibh an chuid seo de chóilíneachtaí Gaeltachta na Mí pioc níos laige ná Béal an Mhuirthead, Acaill nó comharsanacht an Chlocháin Léith. Bhí pobal beo bríomhar Gaeilge i Ráth Cairn i gcónaí a bhí níos láidre agus níos bríomhaire ná go leor leor de na pobail a bhí faoi chúram Roinn na Gaeltachta faoin am seo, agus airgead poiblí nach beag á chaitheamh lena gcur chun cinn. Ach ní heol dom go ndúirt gluaiseacht na Gaeilge mórán ina thaobh, sa bhliain 1956 nuair a leagadh amach an socrú Gaeltachta nua, agus an Roinn na Gaeltachta nua — ná go ceann i bhfad ina dhiaidh sin.

Aisteach go leor, ba bheag ar fad tacaíocht a fuair Ráth Cairn ó *Amárach* nuachtán seachtainiúil a bhí ag iarraidh freastal ar riachtanais na Gaeltachta ó 1956 i leith freisin. Mar shampla, nuair a tugadh aitheantas do Ghaeltacht na Mí sa deireadh, i mí Mheán Fómhair, 1967, ba phatuar ar fad an fháilte a chuir *Amárach* roimh an scéal, á thuairisciú mar an dara príomhscéal san eagrán den 15 Meán Fómhair, faoi cheannteideal "Buntáistí Gaeltachta don Mhí", ach leis an gceist, "An bhFuil Gaeilge mar Ghnátheanga?" mar fhocheannteideal. Dúirt an tuairisc in *Amárach* — a raibh an baol ar laghdú ioncaim ó thionscal na gColáistí Samhraidh mar phríomhscéal aige san eagrán céanna — "Is cosúil gur beartú polaiticiúil é seo. Deir *Scéala Éireann* gur choiméad 97 faoin gcéad

*Príomhscéal* **Scéala Éireann**, *13 Aibreán 1935.*

de na daoine ins na cóilíneachtaí seo a bhótaí gan chaitheamh ins an toghchán deireanach."[12] Dúradh nach raibh aon trácht ar an tríú Gaeltacht i gContae na Mí, Baile Almhain, áit ina bhfuil timpeall fiche teaghlach, dar le *Amárach*. Lean an cuntas:

> Deir *Scéala Éireann* freisin mar chúis den bheartú go raibh na príomh-eagrais athbheochana ag gríosú le tamall go n-ainmneofaí na ceantair seo mar Ghaeltacht, agus gur bunaíodh Comhar Chumann i mBaile Átha Cliath le tacaíocht a thabhairt do Ráth Cairn. Nuair a leagadh síos limistéirí na Gaeltachta i 1956 níor cuireadh Ráth Cairn ná Baile Ghib isteach. An bhfuil na ceantair seo níos mó de Ghaeltacht anois nó mar a bhí an t-am sin? Deir *Scéala Éireann* go bhfuil, mar deir siad gur toradh daichead bliain de iarrachtaí a rinneadh leis na Gaeltachta seo a choimeád gan Galldú atá ann.[13]

Ba léir go raibh muintir *Amárach* ag iarraidh an t-aitheantas a cheangal in intinn an phobail Ghaeltachta leis an mbá a léirigh *Scéala Éireann* le cás Ráth Cairn le cúpla bliain roimhe sin. Bhí cuntas nuachta ag Des Maguire i gcló sa nuachtán laethúil cúpla lá roimhe sin, ar an 11 Meán Fómhair, 1967, sé sin le rá, cúpla lá tar éis don Rúnaí Parlaiminte i Roinn na Gaeltachta ag an am, Pádraig Ó Fachtna, na cóilíneachtaí a aithint. Bhí cur síos suimiúil sa chuntas seo ar iarrachtaí Choiste Tionscail de chuid an Chomhchaidrimh ag an am chun miontionscal cuimhneachán a bhunú, agus freisin ar an gcomharchumann a bhunaigh Scéim na gCeardchumann i mBaile Átha Cliath, i gcomhar le pobal Ráth Cairn, chun prátaí a fhásadh i gContae na Mí a dhíol san ardchathair. "Saothar" a tugadh ar an iarracht seo agus b'é Cian Ó hÉigeartaigh a bhí mar urlabhraí acu ag an am.[14] Ach ní raibh san aitheantas seo a baineadh amach i 1967,

12. *Amárach*, 15/9/1967.
13. Ibid. (Tá athchló déanta ar an mbuntéacs anseo).
14. *Scéala Éireann*, 11/9/1967. Deirtear ag tús an chuntais a scríobh Des Maguire, faoin gceannteideal "Meath Gaeltacht area faces up to threat": "The survival of the Meath Gaeltacht, now officially recognised by the Government as an Irish-speaking area, is being seriously threatened because of a complete lack of industrial and social amenities. And since the people of Rathcarran and Gibbstown are now automatically eligible for all Roinn na Gaeltachta building grants, the main problem facing leaders of local co-operative societies and development associations is to know where to begin to remedy the situation.
They have no factories, no shops, no churches, no public houses and

agus fiú amháin an scéim chun prátaí agus cuimhneacháin a dhíol, ach an chuid dheireanach d'fheachtas a thosaigh roinnt blianta roimhe sin, agus a raibh an-tábhacht leis an mbá a léirigh lucht na mórmheán leis an rath a bhí ar an iarracht.

Faoi lár na seascaidí thuig muintir Ráth Cairn nach raibh aon cheo i ndán dá bpobal mar phobal Gaeltachta mura bhféadfaidís aitheantas na Roinne Gaeltachta a bhaint amach agus riachtanais áirithe phobail — halla agus comharchumann forbartha mar shampla — a chur ar fáil. Thuig gluaiseacht na Gaeilge go háirithe i mBaile Átha Cliath go mb'fhiú aird a thabhairt ar Ghaeltacht Ráth Cairn ar a son féin, ach freisin toisc tábhacht straitéiseach agus síceolaíochta a bheith ag baint leis an iarracht atógála pobail Ghaeltachta ar imeall na Páile. D'oibrigh an dá thaobh as lámha a chéile, dá bhrí sin, trí Eagras na Gaeltachta i measc dreamanna eile a bhí beo san am.

Ach caithfear a rá gur beag a chuala gluaiseacht na Gaeilge féin gan trácht ar an saol mór, faoi Ghaeltacht seo na Mí go dtí gur fhoilsigh Coiste Cosanta paimfléad "Chula Tú faoi Ráth Cairn?"[15] nó gur scaipeadh é ag Oireachtas na bliana 1964. Gearán níos leithne, faoi fhaillí na hEaglaise in úsáid na Gaeilge mar ghnáth-theanga, ag am nuair a bhí úsáid na gnáth-theanga i gceist go mór de bharr athruithe Chomhairle na Vatacáine, a bhí sa phaimfléad seo, a raibh "Cosnaítear an Creideamh" mar theideal air freisin. Ní gá a rá go raibh baint ag Máirtín Ó Cadhain leis. B'iad na baill choiste eile a raibh a gcuid ainmneacha luaite leis ná Seán Ó Coisdealbha; Seán Ó Laighin; Rós Ní Dhúill (bean Phroinsias Uí Mhianáin anois); Criostóir Mac Aonghusa; Séamus Ó Scolaigh, Muiréad Bean Uí Tháilliúir, Deasún Breathnach agus Máirtín Ó Cadhain gan amhras. Bhí Séamus Ó Tuathail, nach gá a chur in aithne do lucht an raidió seo ach an oiread, mar Rúnaí ar an gCoiste.[16] Is fiú aird a thabhairt ar a bhfuil le rá sa phaimfléad sin faoi staid na

---

no community centre; and the only school in Rathcarran could be classified as 'closeable' under the Department of Education's new regulations, because of the small number of pupils on roll."

15. Is léir go raibh botún cló i litriú an fhocail "Chuala" i dteideal an phaimfléid cheithre leathanach seo, a d'fhoilsigh an Coiste Cosanta, agus a chlóbhuail Clódóirí Dhroichead Átha, 8 Sráid Bolton, Droichead Átha, i mí Dheireadh Fómhair, 1964.

16. *Chula tú faoi Ráth Cairn?*, 1964. (Féach nóta 15 thuas).

gceantar Gaeltachta agus staid na Gaeilge sna searmanais eaglasta sna Gaeltachtaí éagsúla ag an am. Más fíor an cuntas atá ann, ní ar chúl ar fad atá an scéal imithe ó shin. Ach deir daoine liom a raibh baint acu le scéal Ráth Cairn féin nach cruinn ar fad a bhí gach rud a dúradh sa phaimfléad; bhí beagán den áibhéil ag roinnt leis is cosúil.

B'é an rud ba mhó a bhí le maíomh faoi Ráth Cairn i bhfómhar na bliana 1964, ná gur dúradh leis na páistí scoile go raibh seachtain acu iad féin a ullmhú le bheith in ann faoistean a dhéanamh i mBéarla, agus dúradh freisin:

> Níor ceadaíodh a n-aithreachaí ná a máithreachaí. Is pobal Fíor-Ghaeltacht é Ráth Cairn na Mí. As Conamara a tháinig na daoine deich mbliana fichead ó shoin agus a lán acu ar bheagán nó d'uireasa Béarla. Níor chuala siad Briathar Dé ariamh i nGaeilge i Ráth Cairn, ach amháin sa scoil.[17]

Bhain an paimfléad geit as daoine, ní amháin toisc gur thug lucht a scríofa le tuiscint nach raibh na heaspaig éagsúla a shínigh Feachtas "Let The Language Live!" an samhradh roimhe sin ag seasamh lena bhfocal san fhreagracht a bhí orthu as ceantair Ghaeltachta éagsúla, ach freisin, sílim, mar gur mheabhraigh sé do go leor de na heagrais Ghaeilge go raibh dearmad déanta acu den Ghaeltacht nua-thógtha seo, a thug an oiread sin dóchais dóibh glúin roimhe sin. Is cuimhneach liom gurb é an paimfléad úd, agus an raic a bhain leis, a spreag mé féin, i mo mhac léinn ollscoile i gCorcaigh dom, aghaidh a thabhairt ar Ráth Cairn, ar an ordóg, go gairid ina dhiaidh sin. Scríobh mé alt i mBéarla faoin áit a foilsíodh ar *Scéala Éireann* seachtain roimh an Nollaig, 1964, faoin gceannteideal "Ráth Cairn — Challenge to the Nation".[18] Ceann de na nithe is suimiúla a bhaineann leis an gcur síos seo, ag breathnú siar air anois, ná an grianghraf a thóg mé san am den bhóthar isteach go hÁth Buí. Fuair muid locht ar an imirce, faoin laghdú daonra, a d'fhág go raibh an féar ag fás i lár an bhóthair sin sa phictiúr ag an am. Tá grianghraf eile in éineacht leis an alt i gcló ar an 18ú Nollaig, 1964, pictiúr de ghasúir na bunscoile ag rith abhaile ón scoil tráthnóna. Ní fheadar cá bhfuil na páistí éagsúla atá le feiceáil sa ghrianghraf seo, bliain is fiche níos déanaí? Ach b'é an rud ba shuimiúla ar fad i dtaobh an ailt, agus gan amhras, an rud ba mhó a thug sásamh domsa, tar éis

17. Ibid.
18. *Scéala Éireann*, 18/12/1964.

iarracht a dhéanamh ar chuntas cothrom a scríobh ar scéal Ráth
Cairn, ná gur scríobh Séamas Ó Tuathail, (an Séamas céanna!) mar
Rúnaí ar an gCoiste Cosanta, litir bhuíochais, a bhí i gcló ar *Scéala
Éireann* oíche Nollag, san eagrán dár dháta an 24 Nollaig 1964. I
nGaeilge a bhí an litir, agus thosaigh sí le cosaint ar an ionsaí a rinne
cuid de lucht ghluaiseacht na Gaeilge ar phointí éagsúla a bhí sa
phaimfléad. Dúirt Ó Tuathail:

> Dhaor daoine agus dreamanna eile muid. Rinne siad mí-aistriú ar ár
> mbilleog. Chuir siad mí-chruinneas inár leith. Ansin nuair a bhíomar
> slán as an mbealach sa tearmann céanna a chuirfeadh Cromail muid,
> chuaigh siad ag lorg na fianaise.[19]

Tar éis dó an t-alt is déanaí a mholadh deir Ó Tuathail:

> Níl ag dul dó ach an moladh. D'aimsigh sé na rudaí cearta. A neart: aon-
> bhunús na ndaoine; an-dílseacht don Ghaeilge, cion na scoile i
> gcaomhnú na teanga i Rath Cairn. Agus a laige: fágadh láthair ar son
> séipéil ann ach níor dearnadh an séipéal ariamh. Ó bhí athrú á
> dhéanamh i Ráth Cairn is fíor gur "test-case" ba mhian linn a dhéanamh
> dhó — agus níl fúinn stríocadh ach an oiread.[20]

Níl deis anseo cur síos a dhéanamh ar cé mar a thosaigh sagart óg
i Maigh Nuad darbh ainm Tomás Ó Fiaich, Uachtarán Chumann na
Sagart san am, ag teacht i gcabhair ar Ráth Cairn chomh luath agus
a fuair sé deis, ná aon cheo a rá faoi na hiarrachtaí a rinne sagairt go
leor eile sna blianta ina dhiaidh sin. Ach is féidir a rá, dar liom, gur
spreag an raic seo a thosaigh an Cadhnach agus a chairde faoi "test-
case" Ráth Cairn iarracht níos forleithne a raibh sé mar chéad agus
mar bhun-aidhm aici aitheantas iomlán mar phobal Gaeltachta a
bhaint amach don áit, mar thús iarrachta chun an Ghaeltacht
dhearmadta a tháinig slán, a dhaingniú agus a bhuanú, agus a
fhorbairt. Ba bheag bliain a d'imigh thart as sin ar aghaidh nár thug
Ciarán Ó Nualláin, Eagarthóir *Inniu,* cuairt ar Ráth Cairn, agus
thug poiblíocht fhlaithiúil dá n-iarrachtaí agus dá gcruachás.
Thiomáin mé féin ann é bliain amháin nuair a bhí mé ag obair leis
an bpáipéar. I measc na ndaoine eile a bhfuil cuntais ar an áit le fáil
uathu in *Inniu,* tá Deasún Mag Uidhir, a luaigh muid cheana, agus
Pádraic Ó Gaora. Bhí cairde eile ag Ráth Cairn sna meáin, daoine

19. *Scéala Éireann*, 24/12/1964.
20. Ibid.

*Nollaig Ó Gadhra*

cosúil le Eileen O'Brien a scríobhadh colúin shóisialta ó chuaigh sí ag obair leis an *Irish Times* i lár na seascaidí, agus Liam Mac Gabhann, fear a bhí tar éis maireachtáil trí ré de Valera sna tríochaidí agus sna daichidí a chreid go daingean in aisling na hathphlandála.

Tá alt maith ag Mac Gabhann, mar shampla, san *Irish Times* den 10 Meitheamh 1964, faoin gceannteideal "The migrants have gained — and lost"[21] ach is le muintir Bhaile Ghib agus na daoine de bhunadh a chontae féin, Ciarraí, is mó atá sé ag plé. Chuir an *Irish Independent* suim sa scéal freisin, cé gur mó an bhéim ar thalamh agus ar fhadhbanna feirmeoireachta a chuirtí de ghnáth. Mar sin féin, feicim gné-alt i nGaeilge a scríobh mé féin don pháipéar ar an 29ú Samhain, 1966 faoin teideal "An Ghaeltacht a bhunaigh Stát na hÉireann"[22] B'shin an t-am, ar ndóigh, nuair a bhíodh riar Gaeilge i gcló go rialta san *Irish Independent* chomh maith le *Scéala Éireann* mar ghnáth-nós.

Níl aon bhéim ar leith á cur agam anseo ar spéis na n-irisí Gaeilge i nGaeltacht na Mí, ná san athbheochan a tháinig ar an spéis sin tar éis do mhuintir Ráth Cairn a bheith dúisithe i lár na seascaidí. Is fíor gur dearnadh trácht rialta ag leithéidí Anraí Uí Bhraonáin agus Aodha Uí Chanainn ó Choiste Taighde Tionscal an Chomhchaidrimh ar *Chomhar,* agus gur leag Maolsheachlann Ó Caollaí agus daoine eile béim ar chearta phobal Ráth Cairn mar phobal Gaeltachta in irisí Chonradh na Gaeilge, *Rosc* agus *Feasta*. Thart faoin am seo freisin, bhí caint mhór i ngluaiseacht na Gaeilge faoi bhunú bruachbhailte nó bailte nua do Ghaeilgeoirí ar imeall na bpríomhchathracha, mar is léir, mar shampla, ón aiste fhada a scríobh an Dr. Liam Ó Sé, dar teideal "The Irish Language Revival's Achilles Heel" san iris Ghael-Mheiriceánach, *Éire/Ireland* in earrach na bliana 1966. Dar leis an gcuid ba dhána de na daoine seo, bheadh sé níos éasca baile nua Gaeilge a thógáil as an nua ná a bheith ag iarraidh cuid de na bailte seanbhunaithe a Ghaelú, mar a bhí Glór na nGael ag iarraidh a dhéanamh faoin am sin. Mhol níos mó ná duine agus eagras amháin gur cheart tabhairt faoin mbaile nua Gaeltachta seo a thógáil i Ráth Cairn, áit a bhí i ngiorracht uair a chloig do lár-ionad na cumhachta sa stát, ach a bhí sách scartha ón chathair mar sin féin lena pearsantacht Ghaelach féin a chothú. I measc na ndaoine eile a bhí ag plé leis an obair seo

21. *Irish Times*, 10/6/1964.
22. *Irish Independent*, 29/11/1966.

agus a spreag óige Ráth Cairn féin le seasamh a ghlacadh bhí Mícheál Ó Cíosóg, Domhnall Ó Lubhlaí, an Dr. Riobard Ó Cuinn, agus daoine éagsúla a raibh baint acu le Conradh na Gaeilge, Gael-Linn, agus go speisialta, le hEagras na Gaeltachta san am. Ach bhí an fhadhb pholaitiúil ann i gcónaí. Ní bheadh aon rud i ndán d'iarrachtaí forbartha pobail Ráth Cairn, mar Ghaeltacht, gan aitheantas Gaeltachta, agus bhí Roinn na Gaeltachta ag tarraingt na gcos ar chúiseanna éagsúla. Ó thaobh an mhaorlathais de, thuig siad nárbh ionann teorainneacha na gcóilíneachtaí agus teorainneacha na bpobal Gaeilge a bhí anois faoi réim i gContae na Mí. Fiú má bhí an teanga láidir i gcónaí i Ráth Cairn, bhí Gaeilge chomh beo bríomhar ag cuid de na teaghlaigh lasmuigh den bhun-chóilíneacht, daoine nár aistrigh aniar go dtí na caogaidí, is a bhí ag aon dream eile. Bhí daoine eile ann a shíl nár cheart buntáistí deontais Roinn na Gaeltachta agus/nó Ghaeltarra a chur ar fáil ar bhonn neart na teanga, fiú, in áit ar bith in oirthear tíre. Níor cheart, dar leis na daoine seo — agus bhí cuid de lucht na gluaiseachta ina measc — an cúnamh céanna a bheith ar fáil ó Roinn na Gaeltachta d'aon phobal sa Mhí is a bheadh le fáil do phobal Ros Muc nó Rinn na Feirste. Ach bhí lucht athbheochana eile ann a dúirt go neamhbhalbh gurb í staid na teanga an t-aon slat tomhais a raibh aon tábhacht ag baint leis i gcás Roinn na Gaeltachta, agus go raibh an Roinn ag tarraingt na gcos mar gheall ar laige na teanga i gcuid mhaith áiteanna a bhí faoina gcúram i gcónaí san iarthar, agus nach bhféadfaí fáil réidh leo i ngeall ar bhrú polaitíochta.

Ba ghearr gur thuig muintir Ráth Cairn má bhí bailte móra Béarla áirithe in ann Roinn na Gaeltachta a chrú de thoradh bhrú polaitíochta, gur cheart go bhféadfaidís féin tionchar polaitíochta éigin a imirt, ach úsáid chiallmhar a bhaint as an nglac vótaí a bhí acu féin.

Ba ghearr go raibh glacadh i nGaeltacht na Mí leis an bport a bhí ag Máirtín Ó Cadhain sa phaimfléad Béarla eile a scríobh sé, *Irish Above Politics,* mar ar mhínigh sé gurb iad an mionlach beag de lucht vótála atá sásta a n-intinn a athrú, agus staonadh ó vótáil más gá, is mó a scanraíonn lucht polaitíochta.[23] Glacadh leis coitianta go gcaithfeadh tromlach phobal Ghaeltacht na Mí a gcuid guthanna

23. *Irish Above Politics* le Máirtín Ó Cadhain. Press Cuchulainn Ltd., 10 South Frederick Street, Dublin 2, 1964. Foilsíodh ábhar an leabhráin seo mar shraith trí halt sa *Gaelic Weekly,* 7, 14 agus 21 Márta, 1964, agus is fiú go mór iad a léamh i gcónaí.

*Ráth Cairn i 1985 . . .*

# Rath Cairn experiment 50 years later

## Meath gaeltacht celebrates 50

By Eileen O'Brien

GREAT life, great home a great revival. "Plod John Derby" and "Plod Jobs Derby" ... is a Connemara man packing Gaeltacht 50 years after de Valera...

commemorate the foundation of the Rathcairn Irish speaking area in Co. Meath, 50 years ago. Also in the picture are the manager of the Rathcairn Gaeltacht Co-op, Padraic Mac Donncha (centre) and the chairman, Ultan Mac Con Midhe (right).

Picture: Martin Nolan

## Tradition is preserved in a tiny Gaeltacht

By Bernie Ní Fhlatharta

AS 78-year-old Stiofan Seoighe gazed out over the lush pastures of Co. Meath that have been his home for the past half century, the far-away look in his eyes told its own story.

It is 50 years to the day since Stiofan — then a young man of 27 — left his native Leitir Meallain, far out on the Connemara coastline, to start a new life here in Rath Cairn.

It has been a good life for Stiofan and his family. But the memories of home — of the sea, the rocks and the awesome beauty that is Connemara — are as strong as ever.

Still proudly displayed in the family kitchen in the Meath farmhouse that has been their home for those past 50 years is the plain deal dresser Stiofan brought with him from Leitir Meallain in 1935. They brought little else—those 49 families who came here from Connemara between 1935 and 1937 in one of the most extraordinary re-settlement programmes this country has seen — except their youth and their enthusiasm.

But their legacy lives on in a thriving little Gaeltacht community of some 350 people—just 21 miles long by 2½ wide — tucked away deep in the heart of the rolling Co. Meath countryside.

For Stiofan and the 59 other original settlers who are still alive — and for their children and their grandchildren — it was a proud moment when President Hillery joined them at the weekend to honour their achievement.

But it was also an occasion filled with sadness as these proud men and women of Connemara, who have clung diligently to their language and traditions down through the years, cast their minds back to the friends and families they left behind.

It was 7 a.m. on a beautiful spring morning in 1935 when the first bus, carrying 11 families, left Leitir Meallain for Rath Cairn.

### From Paul Drury in Rath Cairn

Behind them came a lorry bearing their household furniture — all they were allowed bring with them.

They had opted to give up their meagre holdings among the barren rocks of Connemara, selling off what little stock they had, in return for a new house and 22 acres of land provided by the Land Commission here in Rath Cairn.

It was a traumatic journey — even if it held out hope of a new life at the other end. Most spoke little if any English and many had never before been further afield than Galway.

Bairtle Ó Conaola (84) — the oldest man to leave our the majestic shoreline of Tra Bhuin. "I'll never lay eyes on Tra Bhuin again," he cried.

By mid-day, the first busload had arrived in Rath Cairn. But it was 9 p.m. and dark when the second bus, which had broken down along the way, arrived.

Coilín Ó Conaola, originally from Inis Treabhain (left) and Máirtín O Conaire, originally from Maínnn, recalling the history of the Gaeltacht.

Many of the settlers slept on the floor that night as their furniture had not yet arrived. The following morning, they woke up to look out for the first time on their new home.

"It was like Tír na nÓg," recalls Seán Ó Conaire, now 63 but a mere lad of 12 when he first arrived in Co. Meath. He remembers in particular the delight of roaming the fields that autumn in search of crab-apples — a treat he had never known before.

Each household was given four cows, 10 sheep, 21 hens, a sow, horse and cart, donkey and cart, a plough, a week's supply of groceries and a year's supply of turf. There was an agricultural adviser on hand to show the men how to wield a plough — a skill they had never had any opportunity to acquire among the rocks and boulders of their original homes.

And that was it. A national school was built the following year but official recognition as a Gaeltacht did not come until 1966. Only now is a campaign under way to raise money for a church.

Colm Ó Conaire (left), of Kilbride, Co. Meath having a 'reunion' that with Antóin Ó Cofaigh (Dublin). They hadn't met before since 1939.

## ...reports

Rath Cairn national

...aeltacht community at rn, like the rest of the during the 1940s and '50s set most of its young n in emigration. In the he economic growth hat jobs were available and in other towns, and population stabilised, as commuted to the towns k from Rath Cairn. But ill only about 350, half tual number brought Connemara, although re now 60 families, com- the original 49. Their ce in bringing the Irish has spread far beyond es of the community ative.

976, they started their summer courses and weekend courses in the they offer what must be the best value in entertainment through the medium of Irish, for a very full weekend. Padraig Mac Donncha estimates that they have reached at least 15,000 with these courses.

The Co-op has also built a fine community centre which caters for a wide range of cultural and educational activities. And they organised a pool of machinery for the local small farmers; laid on a proper water supply; developed playing fields; and now have lanning permission for 18 houses, to meet the needs of native speakers who want to move into this community.

Only one family sold its 22 acres of land, and that was to move to a bigger farm, a few miles away. Most of the others try to rent land, to bring their holdings closer to what would make them viable, but nearly all have to seek work off the land, to survive—some in the mines at Navan, while others travel to Dublin or Drogheda.

For all practical purposes, they can and do conduct their daily business through Irish in the Meath area as the county council and health board staff speak Irish. The local gardaí ...

CO-OP ... Padraig Mac Donncha, runaí, Comhar Cumann Rath Cairn, at his desk (above); Máire Ní Chatháin (above right) is one of the original settlers who came from Connemara in 1935. She is now 85 years old.

## N CONNEMARA MOVED MEATH TIR NA nOG ...

ne of the most daring schemes by nment 50 years ago to revive the celebrated in the Gaeltacht com- Co. Meath, this weekend.

thriving. They have always had their own Irish-speaking national school, but the Rath Cairn group has been responsible for bringing the language to at least 15,000 others, and for the opening of Irish language national schools in Navan, Athbourne, Drogheda and one is proposed for Dunshaughlin. They also claim some of the credit for the spread of the ...

*. . . céard a dúradh sna nuachtáin.*

117

d'Fhianna Fáil. Ba bheag rud a dhéanfaí orthu, a dúradh, an fad is a bhí na polaiteoirí sásta go bhféadfaidís a bheith cinnte den tacaíocht sin. B'fhéidir nach raibh Ó Cadhain sásta leis sin, ach ghlac sé leis mar fhíric, agus dúirt gur cheart luach éigin, ar a laghad, a bhaint as an tacaíocht, trí bhagairt staonta, mura bhfaca na daoine go raibh aon rogha níos fearr le fáil acu. Lena gceart a thabhairt do chuid de mhuintir Fhianna Fáil i mBaile Átha Cliath, dúirt siad an rud céanna. Thug pobal Ráth Cairn cluas úr don chaint seo in *Comhar* agus áiteanna eile, tar éis d'Ó Cadhain agus Ó Tuathail agus daoine eile ón gCoiste Cosanta Sealadach úd a bhí gafa anois le Misneach, a chruthú go raibh Éamonn de Valera ag brath ar an gcúpla míle vóta breise a fuair sé i gConamara i 1966, lena shlánú ó dhúshlán Thomáis Uí Uiginn sa toghchán Uachtaránachta a tionóladh an samhradh sin.

Fógraíodh go raibh rún ag muintir Ráth Cairn staonadh ar fad ó vótáil i dtoghcháin áitiúla na bliana 1967 mura dtabharfadh rialtas Fhianna Fáil aitheantas Gaeltachta dóibh. Ba ghearr go raibh seo ina scéal náisiúnta ag preas Bhaile Átha Cliath, mar phléití scéalta a bhain le cúrsaí na Gaeilge agus na Gaeltachta mar cheisteanna móra náisiúnta san am. Ba ghearr go raibh ní amháin Fianna Fáil i gContae na Mí, ach Fine Gael agus an Lucht Oibre chomh maith, ag cur suime nach beag i gceist Ghaeltacht na Mí.

Níl a fhios agam cé chomh héifeachtach is a bhí an "baghcat vótála" a d'eagraigh muintir Ráth Cairn aimsir na dtoghchán áitiúil i 1967. Staon suas le 95% den phobal, dar le tuairiscí áirithe, ach deir pobal na Mí féin nach raibh ansin ach scéal a scaipeadh sna mórmheáin, mar a raibh cairde go leor ag Ráth Cairn faoin am seo, agus ní sna nuachtáin amháin ach an oiread, ach in RTÉ freisin. Ceann de na rudaí a fheicim i dtrodán taighde a bhí agam féin ag an am sin, agus a réitíodh don chlár teilifíse "Seven Days" ná script dhátheangach a scríobh John O'Donoghue do mhír chláir ar Ghaeltacht na Mí. Níl a fhios agam cén uair a craoladh nó ar craoladh ariamh é, ach is cruthú eile fós é gur ghnách le RTÉ sna laethanta úd, scéalta Gaeilge agus Gaeltachta a phlé go rialta mar cheisteanna a bhí ina n-ábhar spéise ag pobal mór féachana leithéid "Seven Days".

B'é freagra oifigiúil poiblí rialtas Fhianna Fáil ar an "mbaghcat" a bhagair pobal Ghaeltacht na Mí ag toghcháin áitiúla mhí an Mheithimh 1967, ar ndóigh, ná nach ngéillfí do bhrú den chineál seo. Go raibh scéal na gcóilíneachtaí á scrúdú ach nach raibh aon bhaint ag an obair sin le gnó an rialtais áitiúil ná na toghcháin. Bhí

Airí Rialtais i measc na ndaoine a dúirt ag cruinnithe toghcháin sa Ghaeltacht thiar nach bhféadfaí géilleadh do bhrú den chineál seo. Mar sin féin, ní dúirt éinne ag an bpointe seo nár cheart iomlán buntáistí Roinn na Gaeltachta a chur ar fáil do phobail in oirthear tíre a bhí chomh gar sin do Bhaile Átha Cliath. Tar éis na dtoghchán, ghéill an rialtas laistigh de ráithe, agus ar an 6 Meán Fómhair, 1967, d'fhógair Pádraig Ó Fachtna, Rúnaí Parlaiminte Aire na Gaeltachta, aitheantas don dá phríomhchóilíneacht, a bunaíodh mar chóilíneachtaí Gaeltachta, mar limistéirí oifigiúla Gaeltachta de réir Acht na bliana 1956, ag cruinniú i Ráth Cairn féin. San óráid a thug Ó Fachtna, thug sé cuntas gonta ar stair agus cúlra na gcóilíneachtaí, leag sé béim mhór ar thábhacht na Gaeilge mar shlat tomhais i gcás an aitheantais, mhol sé pobal Ráth Cairn as ucht an dea-shampla a bhí tugtha acu dúinn go léir maidir le dílseacht agus caomhnú na teanga le glúin roimhe sin, agus dúirt go mbeadh fáilte ag an Roinn feasta roimh iarratais ó mhuintir na háite a raibh fonn orthu cur le forbairt an phobail mar Ghaeltacht.

Bhí an dearcadh a léirigh sé ag teacht le béim nua a bheith á leagan ar cheist na teanga mar chroí-lár cheist na Gaeltachta féin, dearcadh a tháinig chun cinn de réir mar a mhaolaigh ar an bhearna idir caighdeán maireachtála na bpobal Gaeltachta in iarthar na tíre, agus pobal na Mí. Ní raibh leisce ar bith ar Phádraig Ó Fachtna, Gaeilgeoir ó chontae tionsclaíoch Chontae Lú, a thug tacaíocht do straitéis fhorbartha Gaeltachta trí eastáit réamh-mhonarchana a fhorbairt sna ceantair ba láidre Gaeilge, i nGaoth Dobhair agus ar an gCeathrú Rua, agus nach raibh aon phóca breac-Ghaeltachta ina Dháilcheantar féin le brú polaitíochta a chur air, Gaeltacht bheag na Mí a thógáil faoi sciathán Roinn na Gaeltachta. Ceist theanga, ní ceist thíreolaíochta, a bheadh i gceist na Gaeltachta feasta, polasaí a d'fhág, cúpla bliain ina dhiaidh sin, go raibh an chéad Aire Gaeltachta eile, Seoirse Ó Colla, ag tabhairt leideanna os ard go mb'fhéidir go n-éireodh an Roinn as spéis ar leith a léiriú i leas aon cheantar feasta, nach mbeadh sásta iarracht a dhéanamh an teanga a choinneáil in uachtar mar theanga an phobail.

Chuaigh athrú ar phlé na Roinne le gluaiseacht na Gaeilge sna blianta seo freisin, rud a d'fhág faoin am a tógadh an t-ionad pobail i Ráth Cairn, ag tús na seachtóidí, gur mar láthair d'fhéilte drámaíochta Gaeilge, do choláiste Gaeilge, agus fiú amháin mar bhunáit d'Ardfheis an Chonartha i gcás amháin, is mó a bheadh caint ar Ráth Cairn ó shin i leith. Ach sin scéal eile . . .

## 7 Pádraig Mac Donncha
*Bainisteoir Chomharchumann Ráth Cairn*

# Ráth Cairn le blianta beaga anuas

Dúirt Máirtín Ó Cadhain uair amháin gur chuimhneach leis bainis a athar agus a mháthar. Toisc gur chuala sé an oiread sin scéalta fúithi chreid sé go raibh sé i láthair. Sin é a fhearacht agamsa é maidir le bunú na Gaeltachta seo, nuair a haistríodh daoine ó iarthar na hÉireann go lár tíre.

Mar is eol do chách bhí eagraíocht ag obair sna Gaeltachtaí an t-am sin, go mór mór i gConamara, Tír Chonaill, agus Ciarraí darbh ainm 'Muintir na Gaeltachta'. B'é an aidhm a bhí aici na heastáit a bhí i lár tíre a roinnt ar fheirmeoirí beaga as na Gaeltachtaí. Cé go ndeirtear linn go bhfuil Rialtais báúil don teanga, 'sé mo bharúil nár tharla aon rud fiúntach riamh sa nGaeltacht ná don teanga gan raic. Bhí siúlóidí go Bleá Cliath ag an am sin agus tá cuid de na daoine a bhí ar na siúlóidí sin linn go fóill: Seán Ó Coisdealbha, Mícheál Ó Loideáin, Séamus Ó Méalóid, Stiofán Ó Conghaile, Criostóir Mac Aonghusa, agus go leor daoine eile. Lean an feachtas seo ar aghaidh sna Gaeltachtaí agus creidim go raibh sé i bhfad níos gníomhaí i gConamara ná in aon áit eile. Bhí daoine ar nós an Ath. Uí Cheallaigh sa Spidéal agus Máirtín Ó Cadhain i gCamus ag obair go láidir i gConamara.

Bhí cúpla siúlóid go dtí an Dáil agus ag ceann de na siúlóidí sin tar éis do de Valera a theacht i réim mar Thaoiseach, dúirt sé go nglacfadh sé le toscaireacht ón slua taobh amuigh. Piocadh amach ochtar le dul isteach. Chuir an toscaireacht a gcás go láidir go raibh sé thar am na heastáit a bhí i lár tíre a roinnt, gur chóir don Rialtas iad a thógáil ar láimh, agus iad a thabhairt do mhuintir an iarthair, mar dúirt Máirtín Ó Cadhain: "Éire na ndaoine atá uainn, ní Éire na mbullán." Dúirt Dev go raibh sé an-sásta leis na hargóintí a bhí déanta ag an toscaireacht ach go raibh ceist amháin le freagairt, céard a déarfadh sé le muintir Chontae na Mí nuair a bheadh sé ag tógáil na n-eastát seo. Sheas fear amháin suas, Máirtín Ó Cofaigh, agus dúirt, "Abair leo, gur chuir Cromail siar muid agus anois go bhfuil muid ag teacht aniar." Dúirt Dev, "Sin freagra an-mhaith, ní fhéadfadh sé bheith níos fearr."

Tar éis sin thug an Rialtas an cúram do Choimisiún na Talún. Ní miste a rá gur glaodh cruinniú poiblí le chéile in Áth Buí ina raibh na Teachtaí Dála a bhí sa gContae ag an am i láthair agus thug rogha do na daoine a bhí ag an gcruinniú sin: arbh fhearr leo dhá bhliain ag obair le pá nó 22 acra talún. D'aontaigh an cruinniú d'aonghuth gurbh fhearr leo obair sheasta ar feadh dhá bhliain. Thaispeáin sé seo nárbh fhiú mórán talamh ag an am sin. Ar ndóigh ba cheart a chur san áireamh go raibh an cogadh eacnamaíochta ar siúl ag an am.

Chuaigh Coimisiún na Talún i mbun na ndaoine a aistriú aniar. Thóg siad na heastáit i gContae na Mí ar láimh. Bunaíodh an Ghaeltacht seo i 1935. Is é an feall é nár bunaíodh aon cheann eile ag an am sin. Ach ar ndóigh, ní dóigh liom go raibh an tsamhlaíocht ag aon Údarás ná Rialtas an phleanáil a bhí ag teastáil a dhéanamh. Níl aon Rialtas fós sásta é a dhéanamh. Tá mise ag caint anois ar Ghaeltacht Ráth Cairn, agus ar na seirbhísí atá curtha ar fáil ag an gComharchumann, a bhunaigh Craobh Cearta Ráth Cairn de Chonradh na Gaeilge i 1973. Ag an am sin chuir siad nithe éagsúla rompu agus tá cuid de na rudaí sin bainte amach acu sa dá bhliain déag atá caite.

Thosaigh muid le Áras Pobail a thógáil i 1973. Ó shin i leith chuir muid cistin agus seomra club agus seomraí breise eile i gcomhair ranganna leis. Bhailigh muid airgead ar fud na tíre an t-am sin agus fuair muid deontas ó Roinn na Gaeltachta. Nuair a smaoiníonn mé siar air agus Saorstát againn le 60 bliain, is ait liom nár chuir aon dream suim sa gceantar seo, gur thosaigh muid féin agus Gaeilgeoirí ar fud na tíre á n-eagrú féin agus ag pleanáil i gcomhair na mblianta atá romhainn.

Mar is eol do gach duine, is feirmeoirí beaga atá i dtaobh le 22 acra talún atá sa nGaeltacht seo, agus ar ndóigh deireann gach údarás talmhaíochta nach bhfuil 22 acra talún eacnamúil. Bhí an Comharchumann ag plé na ceiste seo le Coimisiún na Talún ó

*Pobal Ráth Cairn inniu.*

bunaíodh é. Le blianta beaga anuas tá breis talún faighte ag 13 fheilméaraí agus sin seirbhís amháin atá curtha ar fáil ainneoin nach bhfuil an obair seo leathchríochnaithe, agus ar ndóigh bhí muid ag ceapadh gur tús a bhí déanta ó thaobh na feilméarachta de. Tá deireadh tagtha le Coimisiún na Talún anois agus níl aon chosúlacht ann go bhfuil aon struchtúr ann faoi láthair le déileáil leis na fadhbanna atá ag feilméaraí beaga an cheantair seo. Tá iallach ar an gcuid is mó de na feilméaraí fós obair a fháil. Dá bhrí sin, is feilméaraí páirtaimseartha iad. Tá inneallra ceannaithe le haghaidh obair feilméarachta. Freisin ag an tús chuir muid ranganna talmhaíochta ar siúl i gcomhar leis an gCoiste Talmhaíochta i gContae na Mí.

Cheannaigh muid 15 acra talún le haghaidh tithe agus páirc imeartha a fhorbairt. Tá an pháirc imeartha beagnach réidh anois, agus tá suíomhanna againn le haghaidh tithe.

Cé go bhfuil muid ag iarraidh seirbhís a chur ar fáil chun an daonra a mhéadú sa gceantar seo, le seans a thabhairt do dhaoine óga, is cuma linn cén áit sa tír a dtagann siad as, ach go mbeadh suim acu i gcultúr agus i ndúchas na tíre seo. Beidh fáilte rompu suíomh a cheannach i Ráth Cairn. An deacracht is mó atá leis an scéim seo ó thaobh an Chomharchumainn de nach bhfuil an t-airgead againn le tús a chur leis na seirbhísí a chur isteach ó thaobh leictreachais, uisce, teileafóin, bóithre, agus mar sin de. Tá gá leis an tseirbhís seo a chur ar fáil sa nGaeltacht seo againne, chun go leanfaidh sí ag fás go nádúrtha mar atá sí faoi láthair.

Tá sruth Lán-Ghaeilge Iar-Bhunoideachais curtha ar bun san Uaimh le seacht mbliana anuas. Ag an bpointe seo táimid ag plé leis an Roinn Oideachais agus leis an gCoiste Gairmoideachais maidir le Scoil Iar-Bhunoideachais a bhunú sa gContae. Tá an t-éileamh ann ó thaobh na Gaeltachta agus na Scoileanna Lán-Ghaelacha de agus tá sé thar am anois Scoil Lán-Ghaelach a chur ar fáil.

Tá seirbhís Eaglasta curtha ar fáil gach Domhnach le ocht mbliana anuas. Sin rud nach raibh ann nuair a thosaigh Craobh den Chonradh agus an Comharchumann ag obair.

Tá Coláiste Gaeilge samhraidh curtha ar bun i gcomhar le Coláiste na bhFiann, agus caithfidh mé a rá go bhfuil an-tionchar aige seo ar an gContae ar fad, agus gur chabhraigh sé go mór linne anseo sa nGaeltacht an tionchar sin a bheith againn ar Chontae na Mí, mar go bhfuil na Scoileanna Lán-Ghaelacha ag fás mórthimpeall orainn sa gContae, go bhfuil craobhacha de Chonradh na Gaeilge bunaithe sna bailte móra timpeall orainn, go bhfuil dreamanna éagsúla ag tógáil páirte i ngluaiseacht na Gaeltachta. Dá bhrí sin, tá creidiúint mhór ag dul don Choláiste Gaeilge.

Chuir muid scéim uisce ar fáil don cheantar ar fad agus fiú amháin taobh amuigh de theorainn na Gaeltachta. Arís, cabhraíonn sé seo le forbairt an cheantair.

Fuair muid seirbhís teileafón poiblí don cheantar ar fad. Meabhraíonn sé sin scéal dom. Tar éis an teileafón poiblí a fháil bhí fear as Ráth Cairn ag glaoch ar a dheartháir i Sasana. Bhí an fear i Sasana ag labhairt i nGaeilge, agus an fear i Ráth Cairn ag labhairt i mBéarla. Dúirt an fear i Sasana, "Cén fáth sa diabhal, gur Béarla atá tú a' labhairt?" Dúirt an deartháir, "Arnú ní cheapann tú go dtuigeann an teileafón seo Gaeilge."

Tá cúrsaí deireadh seachtaine curtha ar fáil againn do dhreamanna ón taobh amuigh den Ghaeltacht, go mórmhór do ghrúpaí agus d'eagraíochtaí i mBaile Átha Cliath, go dtí Comhairle Chontae na Mí, agus do dhreamanna agus do dhaoine aonair sa gContae. Dá bhrí sin, tá seirbhís á chur ar fáil againn i bhfad taobh amuigh den Ghaeltacht.

Trí bliana ó shin leathnaíodh teorainn oifigiúil na Gaeltachta. Arís bhí go leor plé agus cainte faoi seo. Bhí sé thar am é a dhéanamh chomh fada agus a bhain sé linne. Bhí sé leathchéad bliain ró-dheireanach, mar a bhí an chéad aitheantas a fuair muid i 1967. In Ordú Limistéar Gaeltachta, 1982, méadaíodh Gaeltacht Ráth Cairn. B'iad na bailte a fuair aitheantas Gaeltachta: Tulach an Óg, Baile Mhistéil, Tlachta agus Doire Longáin. Nuair a smaoiním ar Dhoire Longáin smaoiním ar ndóigh ar Chlann Uí Mhéalóid, mar is Gaeltacht an chlann sin iontu féin.

I 1984 rinne muid forbairt ar phortaigh atá taobh leis an nGaeltacht agus an bhliain seo caite bhí gach duine sa nGaeltacht in ann a gcuid móna féin a bhaint agus meaisín a fháil ar cíos chun í a bhaint. Dá bhrí sin, bhí tine agus teas ag gach duine an bhliain seo caite.

Tá comhoibriú an-mhaith ann idir muid féin agus Comhairle Chontae na Mí. Tá fógraí nua curtha suas le haghaidh na gceantar Gaeltachta. Tá soilse poiblí beartaithe don cheantar. Tá plean forbartha curtha le chéile ag an gComhairle Contae don cheantar Gaeltachta amháin. Tá an Chomhairle Contae i gcomhar le Údarás na Gaeltachta chun réamh-mhonarcha bheag a thógáil an bhliain seo mar pháirt den chomóradh. Is comhartha é seo go bhfuil na struchtúir sa gContae ag comhoibriú leis an gComharchumann agus

*Máire Jim Uí Chatháin (82). An duine is sine den dream a d'aistrigh.*
(Pic. Carol Lee)

**Foireann peile 'An Ghaeltacht' a bhuaigh Craobh an Chontae, Roinn 3, i 1983.**

*Chun tosaigh: Micheál Mac Donncha, Proinsias Ó Táiltigh, Domhnall Mac Donncha, Tomás Ó Conaire, Séamus Ó Traenalaí, Éamonn Ó Síocháin, Seán Mac Donncha, Beartla Ó Curraoin, Tomás Ó Tiomáin, Micheál Ó Súilleabháin, Pádraig Ó Máirtín.*

*Ar chúl: Tomás Ó Loingsigh, Seán Báille, Seosamh Mac Gearraí, Dominic Ó Máirtín, Tomás Mac Donncha, Macdara Ó Duilearga, Proinsias Ó Bioráin, Cathal Seoighe, Seosamh Ó Gríofa, Micheál Ó Gríofa, Peadar Mac Donncha, Máirtín Ó Curraoin, Matt Ó Dilliún.*

go raibh an-mheas ar obair an chomharchumainn sna blianta atá caite. Bhí meas air mar gheall go raibh an t-ádh ar an gComharchumann go raibh coistí acu i gcónaí a bhí éirimiúil, a chuir pleananna le chéile agus a lean leo go raibh siad curtha i gcrích, agus a d'oibrigh go stuama le muintir an cheantair a chur ag obair mar ghluaiseacht.

Cuireadh éigsí, seimineáir, comórtaisí i gcomhar le Féile na Mí, amhráin, ceol, damhsa, scéalaíocht, agus mar sin de ar siúl. Dá bhrí sin, táimid ar a míle dícheall ag iarraidh seirbhísí a chur ar fáil don phobal. Agus tá ceannairí tagtha chun tosaigh mar Bhríd, Bean Uí Mhéalóid atá thar barr ag múineadh setanna agus damhsaí Gaelacha do na daoine óga ar fad.

Ceann de na haidhmeanna a bheartaigh an Comharchumann air 12 bhliain ó shin sa bplean a chuir an Comharchumann le chéile ná séipéal a thógáil. Tá sagart paróiste againn anois a chuir suim sa cheist agus tá ár séipéal féin againn anois — Eaglais Chuimhneacháin Phádraig. Lá mór a bhí ann i stair Ráth Cairn ar an 15 Nollaig 1985 nuair a bheannaigh agus a d'oscail an Cairdinéal Tomás Ó Fiaich an séipéal.

Bhí muid ag iarraidh i gcónaí a bheith chun tosaigh le modhanna éagsúla teicneolaíochta, le feilméaracht, cúrsaí oideachais, agus gach rud eile. Chuir muid Ríomhairí Ráth Cairn ar bun an bhliain seo caite, agus tá na chéad téipeanna ar an margadh: Tíreolaíocht na hÉireann, agus tá súil againn go mbeidh muid ábalta leanacht leis an saghas sin forbartha.

Chuir muid Cumann Drámaíochta ar siúl i 1974, agus tá an-obair déanta ag an dream seo. Léirigh siad dráma amháin nó dhá dhráma gach bliain ó 1974 go dtí 1985. Níor theip orthu fós gan cúpla dráma sa mbliain a chur ar an stáitse, in éineacht leis na dreamanna ón Meánscoil agus ón mBunscoil.

Cuireadh Cumann Peile na Gaeltachta ar bun i 1977. Níor mhiste a rá go raibh an bua againn i Roinn na Sóisear i 1983 sa gContae, agus gur chuir muid Páirc Tailteann ag amhránaíocht agus ag labhairt Gaeilge ar feadh lá amháin ar aon nós.

Tá Coiste Mná Tí againn a bhíonn ag tógáil isteach daltaí ar chúrsaí Gaeilge deireadh seachtaine samhraidh. B'fhéidir gurb iad na mná is éifeachtaí ar deireadh thiar. Bíonn siad sásta a ngualainn a chur leis an rotha, chun an Ghaeltacht, an teanga agus an cultúr a chur chun cinn.

Ar ndóigh, rinne mé dearmad ar an rud ba thábhachtaí a chuir

127

muid ar bun, 'Club Ráth Cairn', le caitheamh aimsire agus ól, agus mar sin de a chuir ar fáil do mhuintir na háite, ach tar éis an méid sin gaisce níl muid sásta; tá scéimeanna le cur ar bun; tá samhlaíocht náisiúnta ag teastáil chun na scéimeanna sin a chur ar siúl.

Go náisiúnta is dóigh linn gurb é an rud is tábhachtaí 'Teilifís Gaeilge nó Gaeltachta' — is cuma cén t-ainm a bheadh air, a chur ar bun ach nuair a smaoiním ar an mBreatain Bhig, go bhfuil a leithéid de sheirbhís curtha ar fáil ag Rialtas Shasana dóibh, b'fhéidir go bhfuil sé in am againn tosú ag smaoineamh orainn féin; cén áit, nó cén uair a gheobhaidh muid cothrom na féinne.

Maidir linn féin tá baile Gaeltachta le bunú againn. Sin é an dara céim sa gcaoga bliain mar a dúirt mé ar ball. Tá sé thar am do Ghluaiseacht na Gaeilge, do na heagraíochtaí Gaeilge ar fad, don Údarás, do Bhord na Gaeilge, go leanfaidh muid ar aghaidh leis na scéimeanna beaga, ach as ucht Dé tá sé in am gníomh suntasach a dhéanamh chun pobal na tíre seo a ardú, chun misneach a thabhairt dúinn féin. 'Sé an chéad rud a bhfuil sé de dhualgas ar mhuintir na tíre seo a dhéanamh ná an t-airgead a chur ar fáil dúinn chun an obair seo a dhéanamh, agus tá mise ag caint faoina céadta milliún punt atá caite ar gach Roinn Stáit eile. I dtionscail, i leigheas, in oideachas, cén fáth nach bhfuil an t-airgead ar fáil fós tar éis 60 bliain le haghaidh ár dteanga agus ár gcultúr.

Tá Meánscoil Lán-Ghaelach le cur ar bun againne i gContae na Mí. Caithfimid lárionad tionscail agus seirbhís a chur ar fáil i Ráth Cairn, le tionscail bheaga a bhunú a mbeidh muintir na Gaeltachta páirteach iontu, a mbeidh siad i gceannas orthu, agus a mbeidh sé de dhualgas ar na tionscail sin teanga agus cultúr na dúiche a bhfuil siad suite ann a chur san áireamh.

Táimid ag iarraidh lárionad oiliúna d'fheilméaraí óga a chur ar siúl. Séard atá i gceist leis seo go mbeadh Ciste Náisiúnta Airgid ar fáil ag an Rialtas agus ag an gComhphobal Eorpach le go mbeadh muid in ann feilmeacha a cheannach, feilméaraí óga a chur isteach iontu agus iad a oiliúint agus ansin go mbeadh seans acu na feilmeacha sin a íoc ar ais mar a d'íocfá morgáiste ar do theach. Chabhródh sé seo le daoine óga.

Tá gá le oifigí sa gceantar seo againne mar bíonn dreamanna éagsúla ag lorg oifigí ar cíos, agus nuair a thagann an t-am ní bhíonn muid in ann iad a chur ar fáil.

Tá gá agus caithfimid músaem áitiúil a chur ar bun don cheantar le stair, ár mbród, ár ndúchas, a chur ar taispeáint don tír ar fad.

Táimid ag lorg ceadúnais le haghaidh Raidió Pobail do Chontae

*Stiofán Seoighe agus an drisiúr a thug sé aniar as Leitir Meallláin caoga bliain ó shin. Tá an drisiúr ochtó bliain d'aois.* (Pic. Carol Lee)

129

*Maidhcó Mac Donncha taobh amuigh dá theach cónaithe i Ráth Cairn.* (Pic. Carol Lee)

na Mí, go leanfaidh muid leis an gcaidreamh leis an gcontae ar fad, go músclóidh muid an contae ar gach bealach.

Maidir leis an gComóradh Caoga Bliain leag muid amach clár le haghaidh na bliana ar fad. Rinne muid é seo le haghaidh na ndaoine óga chun an stair agus an mhisneach a bhí ag na daoine a tháinig rompu a léiriú dóibh, agus le go mbeidh bród orthu an teanga agus an cultúr a choinneáil agus a leathnú amach mar a rinne a sinsir rompu. Is dóigh linn go bhfuil sé cruthaithe ag an nGaeltacht seo céard is féidir a dhéanamh maidir le teanga agus cultúr a fhorbairt. Tá súil agam go mbeidh bhur dtacaíocht le fáil i gcónaí chun na haidhmeanna sin a chur chun cinn.

Maidir le cúrsaí teanga tá an chosúlacht ar an scéal go ndearna muintir Ráth Cairn seasamh go láidir ar son na teanga. Tá go leor scéalta faoin am a tháinig siad i dtosach. Bhí sé ráite ag an am sin, go ndeachaigh fear as Ráth Cairn isteach ag faoistin in Áth Buí. Sagart óg díreach tar éis a theacht amach as Má Nuad a bhí roimhe. Ní raibh Gaeilge mhaith aige. Chuaigh fear Ráth Cairn isteach agus ag an am sin ba pheaca marfa a bheith ag déanamh poitín agus chaithfeá dul ag an easpag le maithiúnas a fháil. Bhí sé istigh ar aon nós ag inseacht a chuid peacaí agus tháinig sé go dtí an pointe ina raibh sé ag déanamh poitín; ní raibh a fhios ag an sagart céard a dhéanfadh sé agus bhí an sagart paróiste trasna uaidh i mbosca eile agus dúirt sé: "Fan ansin ar feadh nóiméid, beidh mé ar ais." Chuaigh an sagart óg trasna agus chuir sé a chloigeann isteach sa mbosca; bhí an sagart paróiste 70 bliain d'aois ag an am agus dúirt sé leis, "Tá fear anseo ag déanamh poitín, céard a thabharfaidh mé dó?" Bhreathnaigh an sagart paróiste suas, agus dúirt, "Ó, £1 an buidéal."

Is cinnte go raibh go leor rudaí ba chionsiocair leis an teanga a choinneáil láidir ag na daoine féin. Thóg sé misneach a theacht an chéad lá riamh, is duine le misneach a thógfadh a bhean, a chlann, agus a mhuirín ó chósta iarthar na hÉireann, agus iad a thabhairt trasna tíre i 1935, dá bhrí sin, is dóigh liomsa go raibh misneach ag na daoine a tháinig an chéad lá riamh, agus gur sheas an misneach sin dóibh nuair a bhí orthu seasamh ar son na teanga. B'í an scoil ar ndóigh an t-aon institiúid a bhí sa Ghaeltacht, bhí sí ag múnlú na bpáistí ó thaobh an spioraid agus an chultúir de. Seán Ó Coisdealbha, agus a bhean, le cabhair ó Phádraig Midléir, múinteoir rince, a bhí ag múineadh agus is féidir a rá go rabhamar ag déanamh drámaí, ag dul ag feiseanna, agus ag taisteal timpeall na tíre gach deireadh seachtaine sa bhliain. Dá bhrí sin, bhí spiorad an

131

náisiúin Ghaelaigh á spreagadh agus á chaomhnú san institiúid thábhachtach sin. Bhí an t-ádh linn go raibh múinteoirí againn a ghlac seasamh in aghaidh cigirí scoile, agus aon lucht údarás a bhí ag tromaíocht ar an teanga.

Fir na Gaeltachta féin, ba dhream iad a bhí ábalta seasamh a thógáil, bhíodh siad in ann iad féin a chosaint ar an domhan mór taobh amuigh dóibh. Bhí sé ráite go raibh Comhairleoir Talmhaíochta ag obair sa cheantar seo timpeall an ama sin, fear nach raibh mórán measa ar an teanga aige agus aon am a bhfaigheadh sé seans buille a bhualadh orthu, dhéanfadh sé é. Bhí sé istigh i dteach Mhícheál Dhiarmuid, fear tráthúil a raibh bua na cainte aige, bhí sé ina bháisteach agus bhí siad taobh istigh sa chistin ag caint faoi chúrsaí; bhí an mada ina luí i lár an urláir, agus dúirt Micheál leis an mada, *"Get out"*, dúirt sé cúpla uair é, agus ansin dúirt an Comhairleoir Talmhaíochta, "Nach bhfeiceann tú féin anois, má leanann sibh oraibh leis an teanga seo ní bheidh Gaeilge ná Béarla agaibh ar ball, tá sibh ag labhairt Béarla leis an gcapall, leis an mbó sa bpáirc, agus anois breathnaigh níl tusa in ann an mada a chur amach gan Béarla a labhairt," ach ar ndóigh ní raibh Micheál gan freagra. "Is é an chaoi a bhfeiceann muide é," a deir sé, "go bhfuil an Béarla sách maith ag na hainmhithe."

Chonaic mé féin agus mé óg sa cheantar seo go raibh fáilte ar leith i gcónaí roimh dhaoine a bhí ag iarraidh Gaeilge a fhoghlaim nó í a labhairt, gur duine dínn féin aon duine a raibh suim acu sa teanga. Ar ndóigh, ba bhuntáiste ag an gceantar seo nach raibh turasóireacht ann mar a bhí i nGaeltachtaí eile, ansin nuair a tháinig na stráinséirí bhí fáilte rompu agus bhí ómós dóibh nuair a chuir siad spéis sa chultúr.

I dtús na seascaidí thosaigh athrú ag teacht ar an nGaeltacht seo, bhí an imirce ag cúlú agus má bhí na daoine ag imeacht, bhí siad ag tabhairt a n-aghaidh ar Bhaile Átha Cliath gach lá, lean sin ar aghaidh tríd na seascaidí, thosaigh muintir na ndaoine á n-eagrú féin. Bhí feachtas mór ar siúl le haghaidh tuilleadh talún a fháil ó Choimisiún na Talún. Is iomaí cruinniú a bhí ag Dónall Ó Lubhlaí, agus Dónall Ó Móráin le Coimisiún na Talún le na feilmeacha a mhéadú sa cheantar seo. Throid gach cathaoirleach a bhí ar an gComharchumann freisin ar son Ráth Cairn. Micheál Ó Cíosóg — an chéad chathaoirleach, Seosamh Ó Méalóid, Beairtle Ó Curraoin agus anois Ultan Ó Conmhuidhe.

I 1964-65, bhí feachtas ann gan vótáil i dtoghcháin go bhfaigheadh an ceantar aitheantas Gaeltachta mar go dtí sin ní raibh sin aige. Arís, bhí Máirtín Ó Cadhain chun tosaigh san fheachtas seo, agus scríobh Breandán Ó hEithir ailt faoi ag an am san *Irish Times*. Is cuimhneach liom an óráid a thug Máirtín taobh amuigh den scoil anseo agus is dóigh liom gurbh é an píosa cainte ab fhearr a chuala mé riamh. Thuig sé muintir Chonamara. Is cuimhneach liom abairt amháin as an óráid sin, "b'fhéidir nach iad na daoine a bhaineann an fheamainn a thugann abhaile i gcónaí í." Tar éis na n-agóidí seo tháinig aitheantas Gaeltachta.

I 1966, bunaíodh Craobh de Chonradh na Gaeilge agus Craobh Cearta Ráth Cairn. Rinne siad seo go leor smaoinimh, bhí an spiorad an-lag sa cheantar ag an am sin. Is dóigh liom féin go raibh an dearcadh ag daoine nach n-éireodh leo aon rud eile a bhaint amach, mar bhí an oiread sin coistí bunaithe agus ní raibh muinín acu a thuilleadh astu féin. Shocraigh an Craobh Cearta go dtógfaidís Áras Pobail, ar a laghad go mbeadh rud éigin le feiceáil tar éis a saothair, agus ar a laghad go dtabharfadh sé seo misneach do na daoine.

Ba mhaith linn go mbreathnófaí orainn mar mhisinéirí do chúrsaí teanga agus go bhfuilimid ag tabhairt faoi sin ar bhealaí éagsúla. Ba mhaith liom é sin a chur ina luí ar mhuintir na hÉireann go hiomlán, go bhfuil Gaeltacht bheag anseo ar féidir a forbairt agus go dtabharfaidh sí gradam don teanga.

Tá mise cinnte go dtiocfaidh athbheochan na Gaeilge as Ráth Cairn má chabhraítear linn na struchtúir, na hinstitiúidí, agus na seirbhísí a chur ar fáil. Is féidir le daoine aon rud a bhaint amach má chuireann siad chuige, níl aon rud nach féidir a dhéanamh má tá grúpaí de dhaoine nó daoine aonair anseo agus ansiúd, a bhfuil suim acu a bheith páirteach i gcur chun cinn chultúr na tíre. Ba chóir dóibh a bheith ag smaoineamh ar shuíomh a cheannach i nGaeltacht Ráth Cairn agus teacht chun cónaithe ann. Níl mise ag rá nach bhfuil gá le áiteacha eile a fhorbairt. Ba chóir tabhairt faoi i mBaile Átha Cliath, san Iarmhí, i gCabhán, agus mar sin de, ach tá an bhunchloch is gá i Ráth Cairn agus tá na bóithre go léir réitithe leis an daonra a mhéadú agus le daoine eile a ghlacadh isteach sa Ghaeltacht seo. Tá súil againn go bhfuil a dhóthain daoine fágtha leis an spiorad agus an misneach le páirt a ghlacadh i maratón Ráth Cairn.

Ba mhaith liom buíochas a ghabháil leis na daoine a chabhraigh linn go dtí seo, Gaeilgeoirí ar fud na tíre, na heagraíochtaí Gaeilge, Roinn na Gaeltachta, *British Leyland,* agus aon dream eile a chabhraigh. Táimid ag súil go seasfaidh sibh linn agus go dtabharfaidh sibh cabhair dúinn agus go mbeidh an Clár iomlán atá ag Comharchumann Ráth Cairn curtha i bhfeidhm. Is féidir a rá nuair a bheidh barr an chnoic sroichte againn gur féidir leat a bheith bródúil gur thóg tú páirt ghníomhach i ngluaiseacht Ráth Cairn.

*Pádraig Mac Donncha*

134

*Criostóir Mac Aonghusa*
*Iarmhúinteoir a raibh láimh aige i mbunú Ghaeltacht Ráth Cairn*

# Gearrscéal: Cladóir

Ag dul amach an doras don tseanduine agus síos cosán na céibhe dhó, an ghealach ag dealramh ar a hata dubh seoil, ar a bháinín réchaite, agus ar an steafóig de mhaide bhí aige. Bhí leacracha an chosáin ag scaladh, agus bhaineadh sé fuaim bhog éadrom astu de réir mar bhuaileadh sé den steafóig iad. Dhearc sé in airde ar na réaltóga fuara a bhí scaipthe ar fud na spéire mar a bheadh píosaí beaga airgid. D'ól sé tarraingt a chinn de ghaoith ghoirt na farraige, agus ar shroichint na céibhe dhó, shuigh sé ar mhoghlaeir cloiche mar a dtáinig boladh trom feamainne lofa chuige. Ba mhinic leis suí ar an gcloich seo, oíche ghealaí agus dearcadh ar an sáile dubh agus ar scáilí geala na réaltóg. B'shin é an uair den ló ab fhearr leis. Bhí sé scartha le comhluadar daoine agus d'fhéadfadh sé cúrsaí an lae agus cúrsaí an tsaoil a ligean thrína intinn. hArdaítí a mheanmna, chrochtaí a anam os cionn suaraíl agus tútaíl an tsaoil, agus ba mhóide suaimhneas a intinne sin.

Ach ní suaimhneas bhí i ndán dó anois. D'fháisc a lámh the ar an steafóig fhuar le teann feirge. Ní raibh a ghabháltas ná a theach sách maith ag a mhac ná ag bean a mhic, ní raibh sin, má's é do thoil é. Bhíodar sách maith aige féin agus ag a shinsear roimhe. Ní bhfuaireadar san aon locht orthu, ní bhfuair, ná Peige bhocht, an bhean bhí pósta aige agus a thóg seachtar clainne dhó; níor dhúirt sí focal dhá gcáineadh ón gcéad lá a tháinig sí faoi chaolach an tí gur fhág sí amach sa gcónra é.

Ach cén sórt seafóide bhí ag teacht ar a mhac é féin is a chuid

135

gaotaireacht' faoi Chontae na Mí! An raibh sé ag déanamh amach
go bhfágfadh seisean a ghabháltas ag leadaí éigin ar an mbaile agus
go rachadh sé soir go Contae na Mí, más thoir nó theas atá sé? Is
beag a thuig a mhac a intinn ná a bhealach, má shíl sé go ndéanfadh
seisean beart chomh seafóideach sin.

Dhearc sé amach ar an ngarraí a bhí ar a dheasóg. Nach breá an
píosa talún a bhí ann, go háirithe nuair a chuimhneofá ar an
máisteog bhog a bhí ann leathchéad bliain ó shin? Agus nach é féin
a thaosc é? Nár chuir sé sconsaí air? Nár thóg sé chuile chloch as gur
fhág sé gan dris gan cupóig é? Ní raibh unsa créafóige ann nár
iontaigh sé go minic. Ní raibh. Agus cá raibh ar thug sé de bharraí
breátha fataí ariamh? Talamh breá séasúrach freagrach a bhí ann,
talamh a bhí chomh humhal le beithíoch maith. Mar tá an talamh
maith ar nós bheithígh. Is beag nach n-aithníonn sé a mháistir!

An rabhadar ag ceapadh go bhfágfadh sé an talamh sin ag
Réamonn Mór le dó agus le ligean chun báin, mar a rinne sé lena
chuid féin? Deamhan fód de a gheobhfadh Réamonn chomhuain is
d'fhágfadh Dia anam ann féin! Agus má ba chúrsaí mar sin é, téadh
a mhac ag feadaíl, téadh, agus bean a mhic freisin. Is beag a
thuigeadar cúrsaí an tsaoil. Cén tuiscint a bheadh acu ar an ngrá a
bhí aige dhá ghabháltais? Ach chaithfidís é thuiscint. Chaithfidís a
thuiscint nach bhféadfadh fear mar é maireachtáil i bhfad ón sáile
agus ón talamh beannaithe a raibh a mhuintir curtha ann. Ní
thuigeann an óige an aois ná níor thuig ariamh. Ba chuma sin; ba leis
a chuid talún agus is aige a d'fhanfadh sé.

Chuala sé torann toll na seanfharraige agus d'fhéach sé siar i leith
Chuan an Fhir Mhóir. Nár mhinic droch-aimsir a theacht ar a
leithéide de spéir? Glór na seanfharraige agus an ghaoth ag
teannadh ó dheas. Níor moladh ariamh iad. D'iompaigh sé ar a
chois agus shiúil sé go righin chomh fada le fuinneog an tí. Bhí
feiceáil aige ar bhean a mhic thrí phána uachtair na fuinneoige.
Chonaic sé an aghaidh bhán tarraingthe a bhí ag teacht uirthi le
scathamh agus an dá bhall dhubha a bhí faoi na súile. Tháinig
maolú ar phian a chroí nuair chuimhnigh sé gur ar a chomhairle
fhéin a chuaigh a mhac amach 'un na Fáirche dhá hiarraidh bliain
gus an Fómhar seo. Ba mhaith an bhean tí í gan bhréig agus is ar
Chóilín a bhí an t-ádh agus í fháil. Bhí an t-ádh ar chuile dhuine a
dhéanfadh comhairle a athar. Bhí an bhean óg chomh maith ina
bealach féin le Peige, lá de na laethanta, ach gur chinn uirthi aon
chaoi a chur ar iascán cladaigh. Ach cén locht sin uirthi? Cailín sásta
so-chomhairleach a bhí inti agus í ar bheagán cainte mar ba dual do

136

chailín maith a bheith. Corrchailín a dhéanfadh an rud a d'iarr seisean uirthi, an chéad am a tháinig sí ar an oileán. Corrchailín a chaithfeadh uaithi an t-éadach faisiúnta chaitheas muintir Dhúiche Sheoighigh agus a chuirfeadh cóta dearg uirthi fhéin ar nós bean oileáin. Míle buíochas le Dia go raibh a macasamhail de mhnaoi óig faoi chaolach an tí.

'Is maith an Fómhar a gheall Dia dúinn i mbliana,' an chéad fhocal adúirt sé leis an mnaoi óig ar ithe a shuipéir dhó.

D'fhéadfá a rá,' arsa Máire gan a ceann a thóigeáil den stoca a bhí sí a dheasú. 'Fuaireamar an Samhradh go breá.'

'Is iontach an bhliain a bhí ann go dtí seo,' ar seisean, ag cur smeachóid ina phíopa. 'Ach ní shin an fáth a bhfuil an Fómhar go maith againne. Tá talamh breá séasúrach againn agus sin é an t-údar a bhfuil na fataí is fearr sa tír againn.'

Thug an bhean óg spléachadh dá súil anall air gan focal a rá. 'Nílim a rá,' ar seisean, 'nach deas an stráice atá ag d'athair soir faoi na cnoic. Is maith an talamh cimín atá aige, ach cén ghoir atá aige ar mo chuid-se le haghaidh fataí?'

'Is amhlaidh,' a deir Máire ag deargadh, 'ach tá súil agam nach gceapann tú go bhfuil aon locht agamsa ar do chuid talún, nó ar an teach, ná ar aon duine anseo.'

Facthas dó gur airigh sé casaoid ina glór. Níor mhór leis dul ina cionn le stuaim nó mhillfeadh sé an scéal.

'Ach ní faoi sin a bhíos, a Mháire, ach faoi seo. Measann tú cén sórt seachmaill atá ar Chóilín go bhfuil sé á rá go bhfágfaidh sé an t-oileán?' Thit biorán stoca uaithi.

'Níl fhios agam céard a bhaineas dhó, ná cén fáth a bhfuil an bheirt agaibh in árach a chéile le scathamh,' ar sise, agus thóg sí an biorán a thit. Tharraing seisean a chathaoir níos gaire don tine.

'Ach níl tú á rá liom nár tharraing sé an scéal úd ariamh anuas in do láthair?'

'Níor dhúirt sé faic liomsa ach an rud is eol do chuile dhuine,'

'Agus céard sin, d'aile?'

'Gur dhúirt an Sagart Paróiste go raibh roinnt feilmeacha le fáil i gContae na Mí ag muintir Chonamara agus go molfadh sé do chuile dhuine glacadh le ceann acu nuair a bheidís ag imeacht.

'Go dtarrthaí Dia sinn! Agus cén scil atá ag an sagart i dtalamh? Nach ndeirtear liom nach raibh leithead do choise de thalamh ag a mhuintir? Nach siopadóirí a bhí iontu?'

'Níl fhios a'm céard a bhain dhóibh.' Dar leis go raibh iarracht de shumóid ag teacht uirthi.

'Agus an b'shin an méid a chuala sé faoi Chontae na Mí?'

'Nuair a bhí an tAifreann thart, labhair an máistir agus cúpla duine eile faoin rud céanna. Dúirt an máistir go raibh an roth ag casadh arís, go raibh sliocht Chromail á ndíbirt as Éirinn agus go raibh an talamh le fáil arís ag na daoine ar díbríodh a sinsear. Dúirt sé freisin, an té nach nglacfadh le gabháltas maith soir faoin tír, go mba mhaith an díol air bás fháil den ocras ar leacracha loma Chonamara.'

'Máire,' arsa an seanduine go coilgneach, 'má tá aon locht aige féin ar na leacracha loma, fágadh sé ina dhiaidh iad. Ba mhaith aige iad, an chéad lá a tháinig sé inár measc. Agus dá dtugadh máistir scoile na huaire seo aire dhá bpostaí, ní ag dul ar ardán a bheidís ag cur daoine bochta ar a n-aimhleas. Go deimhin, is groí an saol againn é, an lá a bhfuil mac liomsa i dtuilleamaí máistir scoile lena chomhairliú.'

Níor dhúirt an bhean óg focal, agus choinnigh sé fhéin a bhéal ar a chéile. An raibh an iomarca ráite aige? Níor mhór bheith aireach anois agus gan cúl a chainte bheith leis. D'athraigh sé a ghlór agus labhair sé go caoin lách:

'Ar ndóigh, a Mháire, níor dhúirt tusa go ngabhfá soir go Contae na Mí?'

'Dúras cheana leat nach raibh aon locht agamsa ar an áit ná ar an teach ná ar aon duine anseo.'

Ar éigin bhí an focal as a béal nuair hardaíodh laiste an dorais agus shiúil Cóilín isteach. D'éirigh Máire agus leag sí pláta mór brocháin agus mug bainne ar an mbord dhó. Ar a bheith réidh dhó, ghlan sé a bhéal lena mhuinchille, d'éirigh sé den chathaoir, agus chuaigh siar a chodladh. Ansin ab ea a phléasc an seanduine faoi.

'Go deimhin is deas an duine thú agus dul a chodladh gan an paidrín a rá. Cén chaoi a bhféadfadh an t-ádh ná an t-amhantar bheith ar an té nach rachadh ar a ghlúine i bhfianaise Dé sul a ngabhfadh sé a luí, agus gan a fhios ag aoinne againn ar bheo marbh sinn ar maidin.'

Thug sé an leaba air féin de choiscéimeanna malla troma, an steafóg ag baint torainn as an urlár agus gach aon 'aidhe,' 'aidhe', 'aidhe', dhá mungailt aige faoina anáil.

Chuir Máire a cuid cniotála i mbosca agus leag sí ar bharr an drisiúir é. Bhí crampaí ag teacht uirthi le scathamh agus shíl sé nach bhféadfadh sí fad an urláir a shiúl i gceart arís lena beo. Thóg sí an tlú agus chuir sí roinnt den ghríosaigh i bpoll an bheaic; d'aimsigh sí sluaistín an teallaigh agus chraith sí sluaistín an teallaigh agus chraith sí sláimín den luath bhuí i mullach na gríosaí. Thug sí léi roinnt fód fliuch dubh agus leag sí ar an luaith iad. Bheidís breá tirim ar maidin. Fuair sí an scuab buí agus ghlan sí an t-urlár. Bhí iontas uirthi a shalaí is bhreathnaigh an teach. Trí huaire ó mhaidin a scuab sí é agus féach anois é chomh dona is bhí ariamh. Mhothaigh sí fuacht nimhe ag dul thríthi, agus ar tharraingt níos gaire don tine dhi, thug sí léim bheag den chathaoir dá buíochas. Chuimhnigh sí go raibh na logannaí ag cur as di le seachtain. Gheit sí arís nuair chuala sí criogar aonraic ag píobaireacht ar chúl an bheaic. D'éirigh ciaróg mhór dhubh amach as bosca na móna agus shiúil léi i mbéal a cinn roimpi trasna an urláir fhuair. Níor thug Máire faoi deara í gur phreab an mada amach ón mbord féachaint an bhféadfadh sé í alpadh. Nuair a chinn air í cheapadh, d'fhéach sé lena lapa a bhualadh uirthi, ach choinnigh an chiaróg léi agus bhain sí scáile an bhoird amach. D'fhair Máire iad gur chuala sí an preabadh sa lampa mar a bheadh torann báidín mótair. Chonaic sí go raibh coirnéal den bhuaiceas níos airde ná an ceann eile agus go raibh gloine an lampa dubh ag an lasair. D'ísligh sí an buaiceas de rud beag, agus fuair sí boladh gránna ón ola.

'Ola gan mhaith atá muid 'fháil le scathamh. Sin é atá ag milleadh an lampa. An gceapann na siopadóirí go ndéanfadh mangarae ar bith lucht oileáin?' Leis sin, thug snáthaid mhór ruaig thart ar ghloine the an lampa go místuama. D'fhéach Máire uirthi ag déanamh na bhfáinní gur theangmhaigh sí leis an nglqine agus gur thit sí ina stolpán ar an mbord. Ach nuair chroch sí'a lámh lena tóigeáil thug an tsnathaid mhór truslóg ard uaithi; chuaigh sí ar na sciatháin arís, timpeall an lampa . . . Chuir sí leathleiceann uirthi fhéin. Ní tada a bhí ann ach Cóilín ag srannadh thiar sa seomra. Ní raibh gíog fhéin le clos ón seanduine. Agus chuimhnigh sí gur chodhladh fíor-éadrom a bhí sé a dhéanamh le tamall anall, rud a bhí ag luí le réasún, dar léi. Bhí aois mhór aige agus é an-thrína-chéile ó chuala sé a mhac ag caint ar Chontae na Mí.

Ach céard a dhéanfadh sí fhéin nuair a thiocfadh an chúis sin go cnáimh na huilleann? Agus ba chinnte anois gur gearr go dtiocfadh. Labhair criogar ar thaobh den tine. D'fhreagair ceann eile é. Tharraing Máire níos gaire don tine. Tháinig creathadh fuaicht uirthi agus bhí an tine bheag ag dul in éag. Féachaint dá dtug sí in airde os cionn an mhantail, luigh a súil ar phictiúir den Mhaighdin agus dá Mac. Mheabhraigh sin arís di é. Ní raibh rud ar bith ó mhaidin nach raibh dhá chur i gcuimhne di. Bhí aistíl ag teacht uirthi dhá thairbhe. Ba ghearr go mbeadh a céad pháiste aici;

bheadh sí tinn idir dhá Nollaig! Nár mhór an grásta dá gcinneadh
Dia go dtiocfadh sí thríd? Sea, dá dtagadh sí thríd! Ach nach uirthi
bheadh an bhail? Sáinnithe istigh ar oileán i bhfad ón dochtúir agus
óna muintir! D'fhéadfadh sí dul abhaile a luaithe is thiocfadh an
tinneas uirthi? Ní bheadh caoi ar bith ar an scéal sin. Bheadh sé
náireach Cóilín agus an seanduine fhágáil ina n-aonar, go mór mór
ó thárla nach rabhadar ag teacht le chéile. Ach bhíodh aimsir
gharbh ann, cén chaoi a rachadh Cóilín i gcoinne an dochtúra? Ní
fhéadfaí dul ar Aifreann ná chuig an siopa féin. Níor mhiste le
muintir an oileáin sin; thiocfaidís suas ar iasc is ar fhataí dhá
dtigeadh orthu. Ach nár mheabhraigh a máthair an méid sin ar fad
di sul a dtáinig sí ar an oileán? D'fháisc sí a seáilín timpeall na
nguaillí agus is beag nár chuir sí an dá chois isteach sa tine.
    Nár bhreá bheith in áit éigin a mbeadh bóthar faoi do chois ar a
laghad? Bheadh sin in aice léi i gContae na Mí. Bheadh agus teach
breá, nua, glan, agus plátaí móra geala ag scaladh ar an drisiúr ann.
Bheadh troscán úr aici agus deis aici chuile shórt a dhéanamh ar a
mian. Agus, ar ndóigh, bheadh suaimhneas aice ó mhná cabacha an
oileáin! Ach cá bhfuil mé ag caint? Nach measa mé féin ná Cladóir
ar bith? Níl aon bhean ar an oileán a chuirfeadh an dubh ar an mbán
ar sheanduine mar dhéanaimse.'
    'Mháire 'bhfuil fút an oíche a chaitheamh ar an teallach? Más leat
do bhás a tholgadh, fan ann.'
    'Beidh mé agat ar an bpointe,' ar sise ag freagairt Chóilín, agus
leis sin chuaigh sí siar sa seomra.
    Bhí fhios ag Cóilín nach ligfeadh sé néall eile ar a cheann go
ngealfadh an lá. Corr uair a dhúisíodh sé in am mhairbh na hoíche,
ach ba é an scéal céanna aige i gcónaí é ó dhúiseacht. Dheamhan sin
codladh a dhéanfadh sé arís go maidneachan. Thairis sin ba dhoiligh
dhó a shuaimhneas a ghlacadh anocht. Bhí sé ag smaoineamh fós ar
an achrann a bhí aige lena athair agus bhí aiféala cheana air gur
labhair sé go borb leis. D'oscail sé na súile agus bhreathnaigh sé ina
thimpeall. Chonaic sé loinnir dhubh i bposta íochtarach na leapan.
D'iompaigh sé ar a dhroim, tharraing aníos an dá láimh ón éadach
te, bhain sé searradh as féin agus theangmhaigh a lámh chlé leis an
mballa tais agus an lámh eile le ceann Mháire.
    Oícheanta den tsórt seo ba mhinic leis scrúdú coinsias a
dhéanamh, agus thugadh sé faoi deara ariamh go gcaitheadh sé
leath an ama dá lochtú fhéin agus ag leagan amach cén chóir cinn ba
cheart dó chur ar a chúrsaí ach breith bheith aige ar a aiféala. Ach
ní ag fáil loicht air féin a bhí sé anocht. Ag smaoineamh ar rud

áithride a bhí sé, agus ar a dtáinig as.

Sea, taca ocht mí roimhe sin tháinig an intinn nua dhó. Amuigh ar an bhFairche a bhí sé, ag tabhairt cúnamh d'athair na mná, nuair a hosclaíodh na súile aige. hIarradh air dul i mbun na seisrí. Rinne sé meanga ansiúd ar a leaba ag smaoineamh dhó ar a mhístuama a bhí sé, fear nach bhfaca céachta ariamh cheana. Ach nach gearr a bhí sé ar an ordú sin? Ar éigin a bhí an chéad scríob déanta ag an gcéachta nuair a chuaigh driúilicíní áthais thrína cholainn nár airigh sé a leithéidí ariamh roimhe. Dár leis, ba rud beo é an céachta, go raibh anam ann ar nós an duine agus go raibh seisean ina mháistir air. Thug sé sásamh intinne agus colna anois féin dhó cuimhneamh air. Facthas dó gur airigh sé fós ina lámha an greim a bhí aige ar annlaí an chéachta. Níor cheol go dtí gíoscán na slabhraí agus na dtáirneál! Cad é mar ghliondar d'fhear, é bheith dá luascadh anonn is anall ag gluaiseacht an chéachta; gal an allais fheiceál ag éirigh aníos as dromanna na gcapall, agus a bholadh fháil; cumhracht na créafóige úire bheith ag dul faoi do pholláirí; péistí dearga agus spallaí geala dhá nochtadh ag clár géar an chéachta, agus a thuiscint go raibh idir chapaill is chéachta is talamh ag déanamh do thoilse. D'aile, ní raibh rud ar bith ar an saol seo inchurtha síos leis!

Agus anois bhí píosa maith talún le fáil aige i gContae na Mí féin! Nach é Dia bhí go maith dó, agus an deis seo chasadh ina bhealach? Ná ceapadh aoinne go ligfeadh sé a leas ar cáirde. Abraíodh éinne eile a rogha rud, ní raibh smiochóid ag an té nach rachadh soir. Cén fáth a bhfanfadh seisean sa mbaile? Fanacht sa mbaile! Dar a shon! Líon tí a thóigeáil ar oileáinín bocht brocach; cosán dearg a dhéanamh chuig an siopa ag fáil bia agus beatha ar cairde, bheith báite i bhfiacha ar feadh do shaoil, agus gan aon tsúil lena nglanadh ach an uair a chuirfeadh duine gaoil déirc chugat as Meiriceá. B'ait an leagan amach é gan bhréig! Má bhí an cineál sin saoil sách maith ag daoine eile, bíodh fhios acu nach raibh seisean ná a bhean ag dul ag dréim leis.

Ach ina dhiaidh sin, bhí an fhadhb gan réiteach fós. Ní bhogfadh an saol an seanbhuachaill! Ní raibh aon tseanduine ariamh nach raibh roinnt aistiúlacht ag dul dhó. Ní raibh. Ina dhiaidh sin, b'fhéidir nár mhiste a athair a ghlacadh go réidh seasta. Bhí modh na haoise ag dul dó ar a laghad, agus b'fhéidir go dtiocfadh sé timpeall le bladar . . . Ach bhí sé ceanndána. Bhí an dearg mhí-ádh air scaití. Má bhí féin, d'fhéadfaí a mheabhrú dhó gur fhág sé an talamh aige féin deich mbliana go ham seo, an uair a fuair sé an pinsean. B'fhéidir go gcloisfeadh sé an méid sin an chéad uair eile a

141

tharraingeodh sé achrann faoi Chontae na Mí . . . Ach ní réiteodh caint bhorb fheargach an scéal. Ní réiteodh. Nárbh fhearr duine eile fháil a rachadh chun cainte lena athair? Ach cé air a dtiúrfadh sé áird? Duine sé nó seachráin a nglacfadh sé comhairle uaidh! Mara raibh an Sagart Paróiste féin ann, ní thiúrfadh sé aird ná airdeall ar chomhrá a chomharsan! Sea, sin é a dhéanfadh sé ar a bheith réidh leis na beithígh an mhaidin a bhí chuige — rachadh sé amach chuig an sagart. Ní raibh aimhreas ar bith nach mbréagfadh seisean an seanfhear.

Bhí píosa maith den mhaidin caite nuair a tháinig an seanduine aniar as a sheomra. Ar a bheith suite ar an mbeaic dhó, leag sé uaidh an steafóg, agus, rud a chuir iontas ar Mháire, d'ionsaigh sé a rá os íseal: 'Ofráilim duit, a Thiarna, mo chorp agus m'anam, mo chroí, m'intinn agus mo thoil, mo smaointe, mo bhriathra, agus mo ghníomhartha ar feadh an lae seo chun Do ghlóir agus t'onóra.' Thuig sí gur chinn air dul ar a ghlúine sa seomra mar ba ghnás leis. D'fhan sí ag an mbord ag gearradh píosaí de bhuilín le haghaidh a bhricfeasta, agus bhí sí ag breathnú air as drioball a súl. Dar léi, bhí sé as a chuma go mór thar éis na hoíche.

Níor fhéad sí samhail ar bith a thabhairt dá éadan ach clár níocháin lena riabh de roic ann. Ag cur na mbróg air dhi, facthas di go raibh roighneadas ina chosa nár airigh sí ariamh cheana.

'Ná cuir síos aon ubh domsa inniu,' a deir sé. 'An ceann a d'itheas inné, bhí sí ag teacht romham ar feadh an lae agus tá pian i mbéal mo chléibhe nach raibh orm le tamall.'

D'ól sé mug tae a leagadh 'na fhianaise agus d'ith geampa 'bhuilín. Fuair sé an steafóg agus d'éirigh le dul amach. Nuair a bhí sé sa doras d'fhuagair Máire air:

'Ná téirigh ró-fhada ón teach, níl aon dea-chosúlacht ar an lá, agus tá tú ag breathnú gan bheith ar fónamh.'

'Níl aon chailleadh orm, a stór. Níl faic orm . . . ach beannacht Dé ortsa, ar aon nós.''

D'ionsaigh sise ar a cuid oibre go smaointeach. Ar dhul amach ar an tsráid don seanduine, theangmhaigh an ghaoth fhuar lena éadan, agus shéid sí an fhéasóg bhiorach liath aige suas ina bhéal. Ní cosúlacht ró-mhaith a bhí ar an spéir. Níor thaithnigh leis an ghaoth bheith sa gceard ó dheas — 'ceard an uisce', mar thugadh sé ariamh air. B'iontas leis an lear driseog a bhí ag fás ar dhá thaobh an chosáin agus an féar fada feoite a bhí fásta tríd an bpuiteach. Sheas sé nóiméad. Chas sé. Ní raibh an teach ag dearcadh chomh fágtha ariamh. Bhí dath na luaithe ar na ballaí, súgán amháin scaoilte, agus dreach fhuar lom ar cheann an tí. Ach ní shin an rud is mó a chorraigh é ach an luifearnach a bhí ag fás amach ar na beanna. Ba bheag an t-ionadh an scéal a bheith amhlaidh. Cén aire a bhí an teach ná an talamh a fháil? Ní raibh suim ná suaiméad dhá gcur iontu. Ní bheadh rí ná rath ar an teach go gcuirfí suim ann agus go stopfaí dhe bheith ag caint ar é fhágáil. Chailleadh a mhac a leath-oiread allais leis an áit is chaill seisean ar feadh leathchéad bliain, is ní bheadh aon duine sa tír chomh compóirteach leis.

Ba dheacair leis an bóithrín a shiúl ná an cosán. Bhí an phuiteach bhog ag greamú dá bhróga agus ba doiligh an steafóg féin a tharraingt aníos. Chonaic sé an duine ag teacht ina choinne. Bean rua cosnocht a bhí ann agus seáilín dubh aniar thar na guaillí aice. Ag siúl le taobh an sconsa a bhí sí agus a cóta dearg ag cuimilt leis na clocha glasa. Ní raibh fhios ag an seanduine cé bhí ann. Ach ba ghearr gur aithin sé ar ghlór a cinn go mba í bean chabach Réamainn Mhóir a bhí ag teacht.

'Mo ghoirm thú, a Mharcuis, agus gabháltas breá fháil soir faoin tír—i gContae na Mí, thar a bhfaca tú ariamh. Ach cér chóra dream eile? Bhí fír na maitheasa ariamh ionaibh, bail ó Dhia is ó Mhuire oraibh.'

'Mar sin, mar sin,' an freagra a fuair sí. Níor sheas le comhrá a choinneál léi. Stán sise scaithín ag faire air agus gruaim uirthi nár fheil dá ceannaghaidh suáilceach. Ach chuala an seanduine an chaint a chaith sí leis.

'Ta an suáilceas fágtha ina ndiaidh ag cuid de na daoine ar maidin. B'fhéidir go mba lú de a gcuid airgid sin dá mbeadh fhios againn in am é.' Chinn air aon mheabhair a bhaint as a cuid cainte.

Agus bhí an scéal úd i mbéalaibh cháich anois! Ná raibh an t-ádh ar a gcuid teangacha fada. Nach raibh sé sách dona bheith ag sáraíocht sa mbaile faoi rud seafóideach is gan bheith dhá inseacht do chuile dhuine ar an oileán? Agus cén bhrí, ach cosa a chur faoin scéal? Ag dul go Contae na Mí! Ar chuala siad caint ariamh ar 'Imirce Uabhair'? Ba bheag an baol air féin an cineál sin imirce a dhéanamh agus é imeacht ionas go bhféadfaidís féin léimneach isteach ina bhróga. Cárbh' iontas ré roilleacán a bheith ina cheann. Ach bíodh foighid ag daoine. D'fheicfidís fós, má bhí daoine eile gan chéill, gur fhág Dia ciall agus réasún aige fhéin. An rud ba leis de cheart oidhríochta, choinneodh sé é. Céard eile a dhéanfadh sé? Ar aghaidh leis do réir a choise. D'iompaigh ar thaobh a láimhe deise nuair shroich sé ceann dá gharrantaí fhéin. Bhí maide i mbéal na bearnan agus sceach faoi. Ag ardú na sceiche dhó, chuaigh sé dhá bháthadh san uisce fuar bréan agus i maith ghlas na bó. 'Nach é ba lú do dhaoine roinnt chloch agus ghaineamh a chur ina leithéide d'áit ar mhaithe lena gcuid bróg féin mara ndéanaidís ar son na mbeithíoch é?' Ag dul trasna an gharraí dhó, chonaic sé téadracha dúán alla ina slabhraí laga síoda ar bharr an fhéir agus braonta geala airgid ag sileadh uatha síos. Nárbh álainn é! Míle buíochas le Dia. Chrup sé na guaillí áit a ndeachaigh rinn den ghaoith aneas faoina shlinneáin aige. Níorbh ionadh leis nimh a bheith san uair, arae chuimhnigh sé nach raibh ach ocht seachtainí go hoíche Nollag Mór, agus go raibh a aithne ar na hoícheanta cheana fhéin. Bhí tuirse ag teacht air, ach choinneodh sé leis go mbainfeadh sé amach an Garraí Mór. D'fheicfeadh sé na beithígh ansin. Ní raibh an bhudóg nua adharcach a cheannaigh sé ar an gCaiseal agus na maolanna ag teacht le chéile. Níor mhór súil a choinneáil uirthi, nó b'fhéidir go millfeadh sí beithíoch éigin den chuid óg.

Ach nuair shroich sé an Garraí Mór chinn air aon bheithíoch a thabhairt faoi deara. Cá rabhadar? Bhuail eagla é go raibh an t-amharc ag leathnú ina cheann nó go raibh seachmall ag teacht air. Ach ní fhéadfadh sin a bheith amhlaidh. Ba shin é an Garraí Mór gan bhréig. Sin an strapa ag dul isteach ann, agus sin thall an 'chloch sheachráin' taobh istigh. Ach cá ndeachaigh na beithígh? Á, bhí fhios aige é. Chuir Cóilín sa ngarraí íseal iad, áit a raibh sé ag súil le drochaimsir. Nach aisteach an mac é nach n-inseodh an méid sin fhéin dhó?

Lean sé dá chúrsa gur shroich sé an 'chloch sheachráin'. Shuigh sé uirthi go tromaí, a chúl leis an talamh agus a aghaidh ar an bhFarraige Mhóir. Ba mhór an fhaoilte dhó scíth bheag a ligean. Bhí a anáil ag teacht go saothrach agus bhí mar a bheadh meáchan ag teacht ar a chliabhrach. Thíos faoi bhí an fharraige ag scréachaíl mar a bheadh sí ag iarraidh na clocha duirlinge a shloigeadh. Bhí ruainní d'fheamainn agus de shlata mara, ruainní de chláracha agus fóid shúite mhóna ag imeacht ar bharr an taoille agus ag teacht ar ais arís. Chonaic sé dath dubh ag teacht ar an sáile, áit a raibh néalta uisce ag seoladh isteach ó Árainn, agus bóithre bána cúir go bun na spéire ar bharr na farraige. Ach ní i bhfad a d'fhan sé ag breathnú ar na nithe sin. Ag smaoineamh ar an lá fadó a bhí sé, a ndeachaigh sé siar go Cill Chiaráin. Lá an tobair a bhí ann. Bhí sé ina bhrithín óg an t-am sin, agus corrfhear a bhí in ann dul ina chionn le bata. Ba é an lá céanna é ar casadh Peige dhó. Ba é. 'Agus aníos an bealach seo a thugas abhaile í an lá a pósadh sinn. A Dhia! Nach mór atá idir inné agus inniu, agus nach gearr bhíos an bás ag teacht. Go ndéana

Dia trócaire agus grásta ar a hanam, ar ár n-anam fhéin t'éis ár mbáis, agus go dtuga Sé breith mhaith ar gach anam dár chruthaigh Sé.'

Ba í Peige croí na féile chomh-uain is mhair sí, an bhean bhocht. Ach nach fada nach ndeachaigh sé 'na reilige ag guidhe ar a son? Céard a tháinig air gur thug sé faillí ann? Níorbh iontas an saol bheith bunoscionn agus é fhéin siléigeach 'sna mairbh. Rachadh sé caol díreach 'na reilige anois agus chóireodh sé uaigh Pheige agus uaigheanna a mhuintire. Nach ann a bhí a athair curtha agus a sheanathair agus a athair sin arís, agus chuile dhuine dá shinsear ón gcéad duine acu a tháinig ar an oileán an chéad lá riamh? Agus nach ann a chuirfí é féin fós in aice chúnta Dé?

Ghiorraigh sé cosán na reilige agus ba le dua mór é, mar bhí an steafóg ag dul sa bpuitigh air agus bhí sé dhá thuirsiú dhá thairbhe. I bhfoisceacht leithchéad slat dó bhí seansceach dheilgneach dhroighin a bhí lom ó bhilleoga, seansceach a raibh a ceann ag dul soir ag an ngaoth aniar, agus a raibh a cuid billeog thíos fúithi, briste brúite i salachar bog an chosáin. Dhéanfadh sé reasta beag eile fúithi. Ag cor an bhealaigh tháinig an fear mór ramhar roimhe — fear a raibh gruanna dearga air, geolbhach agus athsmig. Bhí rópa faoina lár ag coinneáil suas a threabhsar, agus súgán timpeall na nglún aige. Réamonn Mór a bhí ann. Ach ní raibh baol ar an seanduine labhairt leis siúd. Dar a shon! Bheannódh sé dhó, ach sin an méid.

'Garbh an uair í,' a deir sé go fuar.

'D'fhéadfá sin a rá, a Mharcuis. Tá an aimsir briste mara bhfuil ag Dia. Ach cá bhfuil do dheifir, a dhuine? Seas nóiméad, le do thoil.' Sheas.

'Bhuel, a Mharcais, a mhic, is beag an t-ionadh tú bheith go brónach. Tá's ag an lá nach maith liom féin sibh bheith ag imeacht uainn go Contae na Mí. Ní maith go deimhin. Bhíomar inár gcomharsana maithe ag a chéile chuile lá ariamh. Sin é an fáth gur cheannaíos na beithígh ó do mhac ar maidin. Agus thugas pingin mhaith dhó orthu, freisin, breith a bhéil fhéin beagnach, i bhfad níos mó ná gheobhadh sé ar aonach Uachtar Ard, ach ní bhfaighinn 'mo chroí dul ag margáil leis, agus a fhios agam go bhfuil chuile dhuine agaibh ag imeacht go deo uainn an mhí seo chugainn.'

Bhí an seanduine ag siúl leis sular críochnaíodh an chaint. Bhí sé buíoch go raibh sé i riocht an sceach a bhaint amach. Mhothaigh sé meáchan millteach ar a chliabhrach agus mar a bheadh ceo ag teacht ar na súile aige. Shuigh sé ar chloich fhuar faoi bhun na sceiche. Lig

145

sé meáchan a dhá lámh ar an steafóig. Fuair sé faoilte bheag ar feadh scaithín agus tháinig suan air. . .

Ceathrú uaire an chloig ina dhiaidh sin, d'éalaigh coinín beag scáfar aníos an cosán agus chuaigh de thruslóga faiteacha isteach i bpoll gar don sceach faoina raibh an seanduine. D'eitil scata faoileán druimbhán isteach ón bhfarraige, ligeadar corr 'miú, miú' agus thar éis breathnú síos dhóibh luíodar sa ngarraí ar chúl na sceiche. D'airigh beithígh an oileáin an fuacht ag dul fá'n bhfionnadh acu agus chuadar ar fascadh. Rinne na caoirigh beaga ocracha an rud céanna. Shéid an ghaoth isteach óna sceirdí. Lasc sí an sáile agus shiab sí cúr geal in airde. Chart sí an gaineamh mín aníos ar an bhféar glas. Lúib sí na crainnte loma agus léas sí na toimíní feannta. Shroich sí an seansceach dheilgneach. Stiall sí agus stróic sí, dhá fhuagairt go fiata go raibh an bás ar fáil.

(Gearrscéal as *Cladóir,* Oifig an tSoláthair, 1952)

## Ciarán Ó Fátharta
*Peileadóir agus cumadóir amhrán as Tír an Fhia, Leitir Móir.*

# Ráth Cairn Glas na Mí

Nach iomaí píosa a d'fhéadfainn 'scríobh,
   Dá mbeinn ábalta ar pheann,
Faoi mo smaointe a d'fhág m'intinn,
   Is an chuid atá fós ann,
Tá an leathchéad bliain seo curtha a'm dhíom
   Faoi mhisneach, brón is brí
Ó thug mé an ruaig bliain 'tríocha cúig,
   Go Ráth Cairn Glas na Mí.

Ó, maidin Aoine a chaoin na daoine,
   Ag fágáil againn slán,
Níorbh é ár nádúr an áit a fhágáil,
   Is an gabháltas 'bhí a'ainn ann,
Sé de Valera a d'athraigh an scéal,
   Mar is fear é a bhí thar cionn,
Mar cheap sé Éire a dhéanamh Gaelach,
   Is an Ghaeilge a chur chun cinn.

Ó fágadh baile is chuaigh go Gaillimh,
   Is ghlan soir Órán Mór,
Bhí mná le páistí ina mbaclainn fáiscthe,
   Ag triall ar Thír na nÓg,
Fuair muid treoir sa mbaile mór,
   Le titim drúcht na hoích',
Is bhí ceann scríbe curtha a'ainn dhínn,
   Ráth Cairn Glas na Mí.

Nach muid a bhí náireach lá arna mhárach,
   Ag siúlóid thart faoin tír,
Á chur faoi ndeara le Conamara,

Is an áit a mbíodh an spraoi,
Ach chuir mo shúile deoir le dúil,
  Is ghlac mé misneach is brí,
Chuir mé dhíom an cumha i mo bhaile nua,
  I Ráth Cairn Glas na Mí.

Ó d'imigh lá agus seachtain bhreá,
  Is nárbh fhada ann sé mhí,
Tógadh talamh ar phócaí folamh,
  Is cuireadh rudaí i gcaoi,
Ó thug gach éinne cabhair dá chéile,
  Is mhaolaigh sin ár gcás,
Bhí de Valera ceart an chéad uair,
  Bhí préamh na Gaeilge ag fás.

Bhí a'ainn fuíoll na bhfuíoll nuair 'd'fheabhsaigh an saol,
  Is bhí an baile ag fáil níos fearr,
Bhí treabhaire is eallach ag gach teaghlach,
  Is talamh a bhí thar barr,
Bhí chuile shórt den ghreann is den spóirt,
  Le fáil a'ainn chuile lá,
Is le cabhair ár bpócaí tá scoil tógtha,
  Is áras pobail breá.

Ó tá go leor le déanamh fós,
  Ach tógfaidh sé roinnt am',
De réir a chéile tógfar séipéal,
  Is beidh an tAifreann Gaeilge a'ainn ann,
Beidh an mhuintir thiar ag tíocht aniar,
  Le scléip is spóirt is spraoi,
Is beidh fáilte is féasta roimh gach éinne,
  I Ráth Cairn Glas na Mí.

Tá an leathchéad bliain seo curtha a'm dhíom,
  Is nach ait mar d'imigh an t-am,
Tá cnámha an ghlúin a tháinig romhainn,
  Faoi shuaimhneas sínte a'ainn ann,
Ach beidh an t-aos óg a thiocfas fós,
  Ag inseacht ár scéal faoi,
Is beidh an Ghaeilge bheo le fáil go deo,
  I Ráth Cairn Glas na Mí.

*Aguisín 1*

# COSNAÍTEAR
# AN
# CREIDEAMH

•

# *Chula tú faoi Rath Cairn?*

149

Tá a fhios—nó ba chóir go mbeadh a fhios—ag cách go bhfuil áiteachaí go leor sa nGaeltacht agus sagairt iontu gan Gaeilge.

Ní chloiseann na daoine seanmóir ná comhairle sagairt choíche i nGaeilge. Ní i nGaeilge a éistear faoistean, a bhaistear, a phóstar ná a adhlactar. Tá scoileannaí Gaeltacht—fíor-Ghaeltacht—arb i mBéarla atá an Teagasc Críostaí agus oiliúint eile creidimh ar siúl iontu. Scoileannaí arb i nGaeilge a bhiodh sé, tá siad le blianta anuas ag dul ar an mBéarla. Is léir gur polasaí é. I mBaile Átha Cliath tá Dr. McQuaid tar éis cur faoi deara nó ag cur faoi deara do na scoileannaí lán-Ghaeilge uilig éirí as an Teagasc Críostaí Gaeilge agus na daltaí a ullmhú le Dul Faoi Láimh Easpaig i mBéarla.

Le samplaí eile a lua chaithfí an Ghaeltacht uilig a shiúl: go leor de Ghaeltacht Thír Chonaill; an Fhíor-Ghaeltacht uilig i dtuaisceart Mhuigheo; Muigheo ó dheas; Dúiche Sheoigeach, Carna, Árainn agus áiteachaí eile i nGaillimh; Oileán Chléire nach bhfuil leathbhróg ná miotán Gaelach féin ar an gcreideamh ann. In áiteachaí eile a bhfuil tuiscint chomh maith ar an nGaeilge leis an mBéarla iontu—Baile an Sceilg, Tuar Mhic Éide, Corrán Acla, mar shampla—i mBéarla amháin atá cúrsaí creidimh. I gcás Gaeilge a bheith ag na sagairt, rud nach bhfuil ach ag duine sé nó seachráin acu, ní bhaineann siad aon leas choíche aisti. "An Creideamh Gaelach": shínigh cuid acu seo Achainí Choiste na Gaeilge sa Samhradh: Dr. McQuaid; Rath Bhoth; Dr. Boyle; Comharba Leomhain Mhóir an Tréada, Dr. Walsh Thuama; Dr. Browne, Dr. Moynihan, Dr. Lucey, Dr. Kyne . . .

Dr. Kyne : Seachtain ó shoin, tionscailt an Oireachtais, i Scoil Náisiúnta Rath Cairn, ag Áth Buí í Ghramhna, dúradh leis na páistí scoile go raibh seachtain acu le iad féin a ullmhú le bheith i n-ann faoistean a dhéanamh i mBéarla.

Níor ceadaíodh a n-athaireachaí ná a mátharachaí. Is pobal Fíor-Ghaeltacht é Rath Cairn na Mí. As Conamara a tháinig na daoine deich mbliana fichead ó shoin agus a lán acu ar bheagán nó d'uireasa Béarla. Níor chuala siad Briathar Dé ariamh i nGaeilge i Rath Cairn—ach amháin sa scoil.

Roinnt blianta ó shoin bhí cuid de dheoisí na Galltacht a gcaití

150

roinnt den Teagasc Críostaí a mhúineadh i nGaeilge iontu. Ní bheadh aon tsúil go mba dhúthrachtaí a bheadh an Eaglais faoin nGaeilge ná an Stát. Ní miste a mheabhrú mar sin féin nach hionann ag Caitliceach eaglaiseach agus státsheirbhíseach. Níl sé de cheart ag eaglaisigh céim ar gcúl a thabhairt ná an greim atá acu ar an bpobal a oibriú leis an nGaeilge a mharú. Tá ná heaglaisigh céanna ag baint amach gach brabach agus deontas is féidir leo a fháil in ainm na Gaeltachta, ní dhá mhaíomh orthu é!

Má's Gaeilgeoirí féin muid ní shin fáth ar bith gur saoránaigh de'n dara grád a bheadh ionainn i Ríocht Dé. Ní Dia Béarlach linn Dia. Ní le Dia Béarlach is cóir iarraidh ar pháistí beaga Rath Cairn na rúin is uaigní in a gcroí a ligean. D'iarr Críost na páistí beaga a ligean Chuige. Nó arbh éard a d'ordaigh Sé gur lucht Béarla a chaithfeadh a bheith iontu!

Imní imirce atá ar na heaspaig? Ní measa, marar fearr, pobal imirceach na Gaeltachta i dtaobh creidimh ná dream ar bith eile, cé gur mó go mór a gcion den imirce. Níl cruthú dhá laghad gur measa. Ní cruthú ná réasún gaotaireacht.

Gaeil bhochta na mBarbadoes, Gaeil ghannshagartach an Bhánú Mhóir, Gaeil aon-nó bhreactheangach ghannshagartach an Droch-Shaoil, ba iad a chraobhscaoil an Creideamh ar fud cheithre ranna an domhain. Is fuil dhá bhfuil agus feoil dhá bhfeoil sin muid; is muid is oighrí orthu. An rud seo is masla dóibhsean is masla dúinne é. Mararbh ea níorbh Éireannaigh a bheadh ionainn.

Ní agróidh muid Reachta Mhanút ná caint Pápaí. Níor ghar é ag caint le eaglaisigh nach miste leo a bheith faillíoch fuarchúiseach faoi dhualgas is ceann de mhordhualgais creidimh dar linn. An gcaithfidh muid raiceannaí mar tá ar siúl ag na Pléimeannaigh Caitliceacha a chur ar siúl anseo in Éirinn i dtithe pobail Dé?

**Is Caitlicigh dílse muid. Ach níl muid toilteanach agus ní gá dúinn ár dteanga agus ár ndúchas a ligean ar fán i ngeall ar eaglaisigh atá ag déanamh leiscéal den Chreideamh le Béarla agus Sasanachas a chur i bhfeidhm ar Éirinn.**

Teastaíonn do chabhair-sa uainn leis an gCreideamh a chosaint orthu seo ar thug Lucas Wadding easpaig Mhammon—ní hea ach easpaig mhaide—orthu.

Thar cheann an Choiste Chosanta,

Muide,

| | |
|---|---|
| Seán Ó Coisdealbha, | Séamus Ó Scolaigh, |
| Seán Ó Laighin, | Muiréad Bean Uí Tháilliúir, |
| Rós Ní Dhúill, | Deasún Breatnach, |
| Criostóir Mac Aonghusa, | Máirtín Ó Cadhain, |

Séamus Ó Tuathail, 25 Páirc Seanóna, Fionnbhrú, Baile Átha Cliath, 9.

Clódóirí Dhroichead Átha,
8 Sráid Bolton,
Droichead Átha,
a chlóbhuail.

152

# Aguisín 2

A Chara,

In aice leis an Áth Buí, i gCondae na Mí atá Ráth Cairn. Is Gaeltacht muid, is é sin le rá is comhthionól muiríní muid i dteannta a chéile arb í an Ghaeilge gnáth-theanga an teallaigh agus chúrsaí ár saoil againn. Ach níl muid sa nGaeltacht oifigiúil de réir mar tá glactha leis an nGaeltacht sin ag an Rialtas. Tá ár gcuid clainne scoile uilig ag fáil deontas Gaeilge na £5, ach sa gcás sin tá corrleanbh ag fáil an deontais chéanna i n-áiteachaí fearacht Léim Í Dhonnabháin, Mochamóg, Gort na Caillighe, Lios Í Bhigín, Baile an Ridire agus a liacht áit eile nach bhfuil sa nGaeltacht agus nár labhaireadh aon Ghaeilge iontu le cuimhne na ndaoine. Is féidir linn ceantair as éadan a lua atá sa nGaeltacht oifigiúil ach nach bhfuil aon Ghaeilge dhá labhairt iontu: Cúige Mumhan ar fad, ach ceantar taobh thiar den Daingean; Maigh Cuilinn agus an ceantar ó thuaidh agus ó dheas dhe; an ceantar ón nGort Mór go Tuar Mhic Éide agus timpeall Thuar Mhic Éide i Muigheó ó dheas; i Muigheó ó Thuaidh ceantar isteach agus amach ó Bhéal an Mhuirthid agus timpeall air, gan an ceantar ón nGeata Mór isteach a chur san áireamh sin; Port Urlainn, Gleann na Muaí agus áiteachaí eile in iarthuaisceart Mhuigheó. Is dona atá Gaeltacht ar bith i ndeisceart Thír Chonaill anois agus scair den cheantar atá marcáilte mar Ghaeltacht i dtuaisceart an Chondae sin ní Gaeltacht é ach oiread. Tá Ráth Cairn in a oiread féin ina Ghaeltacht cho hiomlán agus cho tréan is tá in aon áit sa tír. Is *Fíor* Ghaeltacht muid agus ní smearadh ar mhapa. D'iarr an Coimisiún um Athbheochan go dtiúrfaí aitheantas dúinn mar Ghaeltacht oifigiúil, mar Ghaeltacht ar bith eile sa tír. D'eitigh Páipéar Bán an Rialtais é sin. Níl muid sásta feasta a bheith idir a bheith istigh agus amuigh, in ár Limbo Ghaeltacht.

Is ceantar cúng muid. Caitheann formhór ár n-aosa óig a dhul thar sáile. Níor tugadh dhúinn ach dhá acra agus fiche talún. Fuair na dreamannaí imirce a tháinig in ár ndiaidh go dtí Oirthear Tíre cuid mhaith lena chois sin. Tá sé admhaithe san Acht Talún is deireannaí, tá sé admhaithe ag an Rialtas agus ag chuile údar talmhaíocht nach leor dhá acra is fiche d'fheilméara, nach mór dó ar a laghad dhá fhichead acra le haghaidh maireachtála. Dhá roinntí taltaí atá cóngarach anseo do Ráth Cairn ar Ghaeltacht Ráth Cairn chuirfeadh an roinnt sin biseach mór ar gach Feilm Ghaeltacht i Ráth Cairn. Ní léar dúinne cé an fáth nach gceannódh an Rialtas an talamh seo, nó Coimisiún na Talún nó Roinn na Gaeltacht, go háirid ó rinne an Roinn sin cuid dhá n-alúntas airgid a thabhairt ar ais don Stát Chiste cheal deis a chaite!

Sé ár rún mar aon-mhuintir oibriú i gcomhar san Olltoghchán seo ar son ár leasa féin. *Tá fúinn mar aon-mhuintir gan ár gcuid vótannaí a chaitheamh chor ar bith sa toghchán seo; sin nó gan iad a thabhairt d'aon duine ná d'aon pháirtí nach dtiúrfaidh gealladh i scríbhinn dúinn roimh ré go ndéanfaidh sé/an páirtí éiliú agus seasamh go daingean ar son an dá rud seo atá ag dul dúinn de réir chuile cheart:*

1. Ráth Cairn a ligean isteach sa nGaeltacht oifigiúil, sa gcaoi go mbeidh buntáistí agus deontais uilig na Gaeltacht sin le fáil againn;
2. Fairsingiú ar ár gcuid feilmeachaí sa gcaoi go mbeidh ár ndóthain talún againn le bheith i n-ann maireachtáil mar fheilméaraí.

Tá muid ag éiliú freisin go mbeadh deontas scoile na £5 (£10 feasta) le fáil ag clann cainteoirí dúchais atá dhá dtógáil mar chainteoirí dúchais i gcoilínteacht mar tá ag Dunsany nó ag Baile Ailín.

Tá muid buíoch de na daoine eile atá sásta comhghníomh a dhéanamh linn san éiliú seo agus a bhfuil sin dearbhaithe acu len a síniú fearacht mar tá sé dearbhaithe againn féin.

# *Aguisín 3*

*Ráth Cairn*

Beairtle Ó Súilleabháin agus a bhean Máirín, Midhn Shúilleabháin agus a bhean Mary Jane, Neil Shúilleabháin, Micheál Ó Súilleabháin, Johnín Chofaigh, Bidín Chofaigh, Máirtín Ó Cofaigh, Tomás Ó Cofaigh, Coilín Ó Catháin agus a bhean Monica, John Ó Catháin, Máire Uí Dhonncha, Séamus Chóil Dara agus a bhean Máire, Bríd Dait Mac Donncha, Micheál Dait Mac Donncha, Eilean Ó Briain, Micheál Mac Craith, Bidín Chraith, Máire Chraith, Pádraig Choilimín Ó Conghaile, Kate Phádraig Choilimín Ó Conghaile, Beairtle Ó Lupáin, Máirín Lupáin, Peait Lupáin, Mary Lupáin, Jimmy Lupáin, Peaits Mháire Jack agus a bhean Bríd de Bhailís, Máire Jack Lupáin, Cóilín Jack Lupáin, Cóil Báille agus a bhean Baibín, Peigín Seoighe, Sonny Seoighe, Pádraig Bheairtle agus a bhean Cáit Ó Curraoin, Cáit Bheairtle Ní Churraoin, Seáinín Churraoin agus a bhean Peigí, Beairtle ó Curraoin agus a bhean Bríd, Cóil Ó Curraoin, Nioclás Ó Curraoin, Pádraig Pheadair Kate Seoighe, Stiofán Pheadair Kate Seoighe, Bríd Pheadair Kate Seoighe, Bid Pheadair Kate Seoighe, Micil Dea Ó Gríofa, Peige Dea Ó Gríofa, Seán Dea Ó Gríofa, Máirtín Ó Gríofa, Micheál Dea Ó Gríofa, Micheál Ó Conaire, Neain Uí Chonaire, Colm Ó Lupáin, Bríd Uí Lupáin, Micheál Johnny Mac Donncha, Neaine Dara Mhic Dhonncha, Jim Mhicí Ó Catháin, Neda Pheaits Pháidín agus a bhean Máire Mac Donncha, Kate Neda Mac Donncha, Seáinín Mháire Bheairtle Ó Gríofa, Neaine Pháidín Mac Donncha, Cóil Neaine Pháidín Mac Donncha, Jack Choilimín agus a bhean Bríd Mac Donncha, Micilín Choilimín Mac Donncha, Cóilín Choilimín Mac Donncha, Micheál Dhiarmuid Ó Lochlainn, Máirtín Dhiarmuid Ó Lochlainn, Stiofán Dhiarmuid Ó Lochlainn, Pat a' Táilliúra agus a bhean Máire Ó Cualáin, Máire Bhreathnach, Colm Ó Cartúir, Máire Uí Raghallaigh, Micheál Ó Catháin, Brídín Ní Dhonncha, Colm Ó Gríofa.

*Lambay*

Pádraig Ó Loinsigh agus a bhean Áine, Máire Ní Loinsigh, Fionán

Ó Loinsigh, Cóil Choilimín agus a bhean Neil Mac Donncha, Neain Chóil Choilimín Mac Donncha, Nóra Chóil Choilimín Mac Donncha, Johnny Chóil Choilimín Mac Donncha, Máirtín Pheaits Sheáin agus a bhean Kate Mac An Rí, Peadar Mac An Rí, Beairtle Ó Curraoin agus a bhean Úna, Máirtín Ó Curraoin, Micheál Ó Conghaile agus a bhean Máire, Máirtín Ó Conghaile, Séamus Ó Fearaíl, Johnín Mháire agus a bhean Bairbre Ó Conaire, Pádraig Johnín Mháire Ó Conaire, Colm Ó Conaire agus a bhean Neain, Stiofán Ó Neachtain agus a bhean Máire, Eoin Ó Neachtain, Pádraig Ó Neachtain, Micheál Ó Neachtain, Tomás Ó Neachtain, Tom Ó Máirtín agus a bhean Nóra, Tomás Ó Máirtín, Nóra Ní Mháirtín, Tomaisín Ó Cualáin, Criostóir Ó Cualáin, Máirtín Beag Ó Conghaile agus a bhean Bairbre, Pádraig Ó Conghaile, Beairtle Ó Conghaile, Seán Ó Conghaile, Tomás Ó Cualáin agus a bhean Bríd, Pádraig Ó Cualáin, Máirtín Ó Cualáin, Tadhg Ó Loideáin, Pádraig Ó Conghaile agus a bhean Bríd, Tommy Rua Alan Breathnach, Johnín Teaimín Ó Cualáin, Marcus Johnín Ó Cualáin, Micheál Tom Dic Mac Liam, Tomás Ó Neachtain, Pádraig Ó Loideáin (Patsy Tim).

*Cóil Neaine Pháidín*

# *Aguisín 4*

## LIOSTA FOINSÍ

Tá liosta foinsí anseo ina bhfuil tuilleadh eolais le fáil faoi Ghaeltacht Ráth Cairn. Tuigim nach bhfuil an liosta iomlán le fáil anseo ach san am céanna beidh an liosta seo úsáideach mar threoir do dhaoine gur mian leo eolas breise a fháil faoi Ráth Cairn. Táim an-bhuíoch de na léachtóirí ar fad a chuidigh liom an liosta a chur le chéile. Ba mhaith liom mo bhuíochas a ghlacadh go háirithe le Máirín Mhic Lochlainn ó chartlann fuaime Raidió na Gaeltachta. Maidir leis an liosta ón gcartlann sin níl tugtha anseo cheal spáis ach ainmneacha na ndaoine atá páirteach i ngach clár. Is féidir áfach mion eolas a fháil ar gach a bhfuil sna cláracha ach scríobh chugam féin nó chuig Máirín — Eag.

Treoir don liosta foinsí: A. *Anois*, Am. *Amárach*, C. *Comhar*, C.T. *Connacht Tribune*, D. *Déirdre*, E. *An tÉireannach*, G. *Gearrbhaile*, I.T. *The Irish Times*, L. *Leas.* M.C. *Meath Chronicle*, S.E. *Scéala Éireann*, S.P. *The Sunday Press*.

*Altanna*

Conway, Michael. 'When Connemara Moved to a Meath Tír na nÓg'. S.P. 14-4-1985.

Drury, Paul. 'Tradition is preserved in tiny Gaeltacht'. S.E. 16-4-1985.

Mac Aonghusa, Criostóir. 'Gaeltacht Ráth Cairn'. C. 4, 1985.

Mac Aonghusa, Proinsias. 'Cúigear Déag a sheas an fód'. A. 14-4-1985.

Mac Cárthaigh, Micheál. 'Gaedhealtacht na Midhe'. G. 1937.

Mac Donncha, Pádraig. 'Ráth Cairn: 50 Bliain ar Aghaidh'. C. 4, 1985.

Mac Eoin, Gearóid. 'And the Gael comes into his Own'. S.E.?

Mac Gabhann, Liam. 'The Migrants have Gained and Lost'. I.T. 10-6-1964.

Maguire, Desmond. 'Meath Gaeltacht Areas Faces up to Threat'. S.E. 11-9-1967.

Maguire, Desmond. 'The Meath Experiment'. S.E.
1. 'Finding New Roots'. 27-1-1969.

157

2. 'Colonists' Meet Trouble'. 28-1-1969.
3. 'How the Migrants Live'. 29-1-1969.
4. 'Was the Move Worthwhile'. 30-1-1969.
5. 'Keeping the Identity'. 31-1-1969.
6. 'The Future of Rathcarron'. 1-2-1969.
O'Brien, Eileen. 'Meath Gaeltacht Celebrates 50 Years'. I.T. 15-4-1985.
Ó Ciosáin, Éamonn. 'Bunú Ghaeltacht na Mí — *An tÉireannach* agus Muintir na Gaeltachta'. C. 12, 1985.
Ó Flatharta, Bernie. 'Rath Cairn Experiment 50 Years Later'. C.T. 19-4-1985.
Ó Gadhra, Nollaig. 'Chuala tú faoi Ráth Cairn'. A. 14-4-1985.
Ó Gadhra, Nollaig. 'Rath Cairn — Challenge to the Nation'. S.E. 18-2-64.
Ó Loideáin, An tAth. Máirtín. 'Cuimhneachán Ráth Cairn'. D. Fómhar, 1985.
Ó Marcaigh, Fiachra. 'Rath Cairn gets its Church'. S.E. 30-12-1985.
Ó Tuathail, Séamas. Litir in S.E. 24-12-1985.

*Altanna gan Ainm*

'An Cailín Gaelach'. L. Bealt./Meith. 1972.
'An 'Isolated Unit: Gaeltacht Colony in Meath'. C.T. ?-3-1936.
'Another Farewell: Connemara Emigrants Leave for new Homes'. C.T. 8-6-1935.
'An Roinn Tailte agus Imirce — Comhairle a Leasa do Ghaedhil? E. 18-5-1935.
'Buntáistí Gaeltachta don Mhí — An bhFuil an Ghaeilge mar Ghnáththeanga? Am. 15-9-1967.
'Cóilíneacht Ráth Chairn'. (Eagarfhocal) E. 18-5-1935.
'Connemara in Meath'. S.E. 14-4-1985.
'Donegal Migrants Arrive'. M.C. 27-3-1937.
'Éire na mBullán nó Éire na nGaedheal?' E. 21-1-1935.
'Éire na mBullán nó Éire na nGael'. S.E. 21-1-1935.
'Fuíoll na nGael'. I.T. 17-4-1984.
'Gibbstown Estate sold to Land Commission'. M.C. 8-1-1935.
'Kerry Gaels at Gibbstown'. M.C. 27-2-1937.
'Lá na Gaeltachta i gConamara'. E. 21-7-1934.
'Language Lesson'. (Eagarfhocal) S.E. 15-4-1985.
'New Gaelic Colony: Farms and Homes now Ready'. S.E. 16-1-1935.

'New Gaelic Colony: First Arrivals in Meath'. S.E. 13-4-1935.
'Outrage of Rathcarran Gaeltacht'. E. 2-11-1985.
'Protest at Allenstown'. M.C. 27-3-1937.
'Ráth Cairn'. (Eagarfhocal). C.T. 19-4-1985.
'Ráth Cairn: 50 Bliain Slán'. A. 14-4-1985.
'Ráth Cairn: Caoga Bliain de Mhisneach'. S.E. 15-4-1985.
'Ráth Cairn chun Tosaigh'. A. 27-10-1985.
'Ráth Cairn na Gréine'. L. Bealt./Meith. 1972.
'Séipéal Nua Ráth Cairn'. A. 15-12-1985.
'Sraith Thábhachtach ar RnG'. A. 17-11-1985.
'Teachership in Athboy'. C.T. 14-3-1936.
'The Gaeltacht and the Galltacht'. M.C. 29-1-1935.

*Freisin tá litreacha agus sliochtaí beaga eile le fáil sna nuachtáin seo a leanas:*

*Meath Chronicle:* 26-1-35, 19-6-35, 23-1-37, 20, 27-2-37, 6, 20-3-37, 3, 10, 17, 24-4-37, 1, 2, 8, 15-5-37, 3, 12, 17, 31-6-37, 4-9-37, 9, 23-10-37, 4, 11, 18-12-37.
*An tÉireannach:* 30-6-34, 1-9-34, 15, 20-12-34, 26-1-35, 13-3-35, 20-7-35, 21-9-35, 13-6-36, 4-7-36.
*Scéala Éireann:* 15-11-34, 16-10-37, 15-12-64.
*Irish Independent:* 16-1-35, 15-4-35.
*Irish Times Supplement:* 20-7-70.

*Cartlann Fuaime Raidió na Gaeltachta*

*Téip Uimhir*
R.C. 1:    *Darach Ó Catháin ag comhrá agus ag casadh amhráin i gcuideachta Mháirtín Uí Fhátharta.*

R.C. 2:    *Oscailt Oifigiúil Ionad Pobail Ráth Cairn.*

R.C. 3:    *Darach Ó Catháin ag comhrá agus ag casadh amhráin i gcuideachta Mháirtín Uí Fhátharta.*

R.C. 4:    *Darach Ó Catháin ag caint le Seán Bán Breathnach ar an gclár Tráthnóna Inniu ó Chasla.*

R.C. 5:    *Cuairt an Lae:* Máirtín Davy Ó Coisdealbha ag caint le daoine le linn Féile Drámaíochta Ráth Cairn.

R.C. 6:    Seán Ó Conghaile ag tabhairt *Cuairt an Lae* ar an gceantar le linn Féile na Mí.

R.C. 7:     Tom Phádraig Shéamuis Ó Conghaile ag caint.

R.C. 8:     Ráth Cairn na Mí: An Cumann Peile.

R.C. 9:     Mairéad Nic Ghearailt, Bean Mhic Dhonnchadha ag gabháil fhoinn.

R.C. 10/11: Seó Chinn Bhliana 1983-84 as Ráth Cairn.

R.C. 12-14: Féile na Mí 1984: Máirtín Jamsey Ó Flaithearta.

R.C. 15/16: Ráth Cairn 1935-1985: Curtha i láthair ag Máirtín Jamsey Ó Flaithearta.

R.C. 17-22: Féile na Mí 1985: Amhráin Nua Chumtha agus Corn Cuimhneacháin Chóil Neaine Pháidín. Curtha i láthair ag Máirtín Jamsey Ó Flaithearta.

R.C. 23:    Cúrsaí Reatha — 50 Bliain i Ráth Cairn curtha i láthair ag Tomás Mac Con Iomaire.

R.C. 24:    *Mol an Óige* as Ráth Cairn le Micheál Ó Muircheartaigh.

R.C. 25:    Seán Chóilín Ó Conaire ag casadh amhráin.

R.C. 26-32: Ráth Cairn 1935-1985: Léachtaí Comórtha. (Na léachtaí atá i gcló anseo).

Cláracha eile ar a bhfuil daoine as Ráth Cairn nó atá bainteach leis:
*Siúlach Scéalach*, 5, (Colm Cartúir).
*Trian le Scéalaíocht*, 4, (Máirtín Ó Conaire).
*Trian le Scéalaíocht*, 46, (Seán agus Máirtín Ó Conaire).
*Blianta Faoi Bhláth*, 9, (Micheál Johnny Mac Donncha).
*Blianta Faoi Bhláth*, 19, (Pádraig Ó Conaire).
*Blianta Faoi Bhláth*, 102, (Colm Ó Méalóid).

*Cartlann RTÉ*

'Ráth Cairn 1935-1985' *Féach* 15-4-1985. Curtha i láthair ag Micheál Ó hUanacháin. Léirithe ag John Scott. Eagarthóir: Proinsias Mac Aongusa.
'Any Place but the Portach . . .' Raidió Éireann 1, 30-12-1985. Curtha i láthair ag Pádraig Ó Méalóid agus léirithe ag John Quinn.

Sliochtaí as cláracha eile sa gcartlann:
1. 219/69 (15) Peadar Ó Ceallaigh ag caint faoi Ráth Cairn agus

Baile Ghib (15-9-48).
2. 16/69 (H5390) *An Mhuintir S'Againne,* Ionad pobail nua do Ráth Cairn (30-9-74).

*Tráchtais*

Ginnity, Máire. 'A Study of the Two Gaeltachts in Co. **Meath,** Rathcairn and Baile Ghib'. B.A. 1982. Roinn na Tíreolaíochta, T.C.D.

Kennedy, Bríd. 'Rath Cairn Colony Migration of Speakers of Irish to Co. Meath'. B.A. 1968. Roinn na Tíreolaíochta, U.C.D.

*Gearrscéalta*

Mac Aonghusa, Criostóir. 'Gabháltas' in *Cladóir,* (1952) lgh. 65-78. Tá athchló ar an ngearrscéal anseo.

Ó Céileachair, Donncha. 'Breatnach na Carraige' in *Bullaí Mhártain* (1955) lgh. 190-200.

Ó Conaire, Pádhraic Óg. 'An Fód Dúchais' in *Fuine Gréine* (1967), lgh. 64-86.

*Éagsúil*

*Coimisiún Dudley,* 1907.
*Coimisiún na Gaeltachta,* 1925.
*Report of the Irish Land Commission,* 1936, lch. 6-7; 1937, lgh. 6-7; 1938, lgh. 6-7; 1940, lch. 6; 1943, lgh. 17-18; 1952, lgh. 30-34.
*Chula tú faoi Ráth Cairn,* 1964. (Paimfléad). (Athchló anseo).
*Staidéar na Gaeltachta,* Iml. 1: Straitéis forbartha don Ghaeltacht. (An Forás Forbartha 1971) lch. 120-1.
*Plean Forbartha Ráth Cairn.* (Comharchumann Ráth Cairn).
Scéim Forbartha — Plean Áitiúil 1985 do Ghaeltacht Ráth Cairn, 4-3-1985.
Ó Glaisne, Risteárd, *Raidió na Gaeltachta,* lgh. 4, 76, 87, 214, 258, 331, 464.
Ó hEithir, Breandán. *Thar Ghealchathair Soir.* lch. 13.
Mac Aonghusa, Proinsias. 'Ráth Cairn — Gaeltacht Dáiríre'. Léacht a tugadh in Áras Pobail Ráth Cairn, 13-4-1985. Níl foilsithe.
'Ráthcairn — Gaeltacht na Mí 1935-1985' (A *Meath Chronicle* Special Issue).

*Nuacht Ráth Cairn,* (Iris Fáisnéise faoi Ráth Cairn).
**Maps** of Estates at Rathcairn: O.S. Sheet No. 30. Records No's
**S5183,** S5182, S7393, S5183, S27269.

*Gasúir as Ráth Cairn.*

# Innéacs

*(Bunaithe ar chorp na léachtaí)*

# Muintir Ráth Cairn
## trí Shúile an Cheamara

167

168

169

170

172

173

174

175

177

179

181

182